Schriftauslegung als theologische Aufklärung

Aspekte gegenwärtiger Fragestellungen in der neutestamentlichen Wissenschaft

Herausgegeben von Otto Merk

mit Beiträgen von François Bovon,
Günter Haufe, Hans Klein, Robert Morgan,
Kurt Niederwimmer, Henning Graf Reventlow,
Georg Strecker und Anton Vögtle

Gütersloher Verlagshaus Gerd Mohn

CIP-Kurztitelaufnahme der Deutschen Bibliothek

Schriftauslegung als theologische Aufklärung:
Aspekte gegenwärtiger Fragestellungen in d.
neutestamentl. Wiss. / hrsg. von Otto Merk.
Mit Beitr. von François Bovon ... – Gütersloh:
Gütersloher Verlagshaus Mohn, 1984.
    ISBN 3-579-00085-3
NE: Merk, Otto [Hrsg.]; Bovon, François [Mitverf.]

ISBN 3-579-00085-3
© Gütersloher Verlagshaus Gerd Mohn, Gütersloh 1984
Umschlagentwurf: Dieter Rehder, Aachen
Satz: IBV-Lichtsatz, Berlin
Druck und Bindung: Lengericher Handelsdruckerei, Lengerich
Printed in Germany

Herrn Landesbischof Professor D. Eduard Lohse, dem steten Förderer der Wissenschaftlichen Gesellschaft für Theologie e. V. und Mitglied in der Fachgruppe Neues Testament, zum 60. Geburtstag am 19. Februar 1984 in Dankbarkeit und Verehrung zugeeignet.

Inhalt

Vorwort von Otto Merk 8

I. Schriftauslegung als theologische Aufklärung

  1. Georg Strecker
     Der Stand der neutestamentlichen Wissenschaft in Deutschland. . . 10
  2. Kurt Niederwimmer
     Zur Situation der neutestamentlichen Schriftauslegung
     in Österreich 20
  3. François Bovon
     Heutige Schriftauslegung in der welschen Schweiz und im
     französischen Protestantismus 28
  4. Robert Morgan
     Theologische Auslegung im angelsächsischen Bereich 34
  5. Günter Haufe
     Was macht neutestamentliche Wissenschaft zur Theologie? 41

II. Der Beitrag der katholischen Exegese

  6. Anton Vögtle
     Neutestamentliche Wissenschaft – Gegenwärtige Tendenzen und
     Probleme aus römisch-katholischer Sicht 52

III. Überlegungen zu einer gesamtbiblischen Theologie

  7. Hans Klein
     Leben – neues Leben – Möglichkeiten und Grenzen einer gesamt-
     biblischen Theologie des Alten und Neuen Testaments 76
  8. Henning Graf Reventlow
     Die Arbeit der Projektgruppe »Biblische Theologie« in den Jahren
     1976–1981 94

Personenregister 103
Die Autoren 107

Vorwort

»Das theologische Erbe der Aufklärung« kennzeichnet Anliegen und Untertitel des IV. Europäischen Theologenkongresses, den die Evangelisch-theologische Fakultät der Universität Wien in Verbindung mit der ›Wissenschaftlichen Gesellschaft für Theologie‹ vom 28. September–2. Oktober 1981 unter dem Generalthema »Glaube und Toleranz« veranstaltete. Die vornehmlich am Hauptthema orientierten Beiträge sind in dem Kongreßband »Glaube und Toleranz. Das theologische Erbe der Aufklärung«, herausgegeben von Trutz Rendtorff, im Gütersloher Verlagshaus Gerd Mohn, Gütersloh 1982, erschienen.

Im Rahmen der Sektionsarbeit des Kongresses wurde im Fachgebiet Neues Testament »das theologische Erbe der Aufklärung« in einer Reihe von Beiträgen fachspezifisch und doch weitgreifend bedacht.

Die Einsicht, daß Aufklärung bibelwissenschaftlich in der Schriftauslegung konkret wird, war der Anlaß, Ausprägungen und Wege exegetisch-theologischer Arbeit in einigen Aspekten und in einigen Bereichen Europas zu bedenken. Nicht umfassende Darstellungen, sondern Skizzen und Analysen weisen dabei vielleicht mehr auf eine lebendige, fragende und kritische Gegenwart, als auf den ersten Blick hin sichtbar wird. ›Schriftauslegung als theologische Aufklärung‹ und ›Glaube und Toleranz‹ haben Ausdruck in mancher fruchtbaren Begegnung gefunden, und die Vielfalt der Aspekte spiegelt gegenwärtige Fragestellungen in der neutestamentlichen Wissenschaft.

Solche Moment- und Bestandsaufnahmen kamen in der Sektionsarbeit in drei Bereichen zur Geltung: Erstens in der Vortragsrunde »Schriftauslegung als theologische Aufklärung« (F. Bovon; G. Haufe; R. Morgan; K. Niederwimmer; G. Strecker), zweitens in dem weitreichende Akzente setzenden Beitrag über die gegenwärtige römisch-katholische Exegese (A. Vögtle) und drittens in Überlegungen zur gesamtbiblischen Theologie (H. Klein; H. Graf Reventlow), wobei auch langjährige Arbeit innerhalb der ›Wissenschaftlichen Gesellschaft für Theologie‹ unmittelbar eingebracht werden konnte.

Dem Vorstand der ›Wissenschaftlichen Gesellschaft für Theologie‹, besonders ihrem Vorsitzenden, Herrn Kollegen Professor Dr. Trutz Rendtorff, sei für die Ermöglichung der Herausgabe dieses zweiten Kongreßbandes herzlich gedankt. Desgleichen gilt mein Dank allen Referenten für ihr Mitwirken und für ihre freundliche Überlassung der Manuskripte. Ebenso danke ich Herrn Dr. Manfred Baumotte für die zuvorkommende Betreuung durch den Verlag und Herrn Pfr. Jürgen Thiede für die redaktionelle Mitdurchsicht der Beiträge.

Erlangen, im Juni 1983 –   *Otto Merk*

I. Schriftauslegung als theologische Aufklärung

1. Der Stand der neutestamentlichen Wissenschaft in Deutschland*
Georg Strecker

Selbstverständlich kann ich im vorgegebenen Rahmen nicht ›den‹ Stand der neutestamentlichen Wissenschaft in Deutschland vorstellen, sondern allenfalls einige Überlegungen dazu, einerseits als Zustandsbericht, andererseits als perspektivische Darstellung im Blick auf die künftigen Anforderungen, die sich den Neutestamentlern im Ausgang des 20. Jahrhunderts stellen. Es handelt sich also um eine subjektive Äußerung, und ich kann mich hierbei auf Sören Kierkegaard berufen, wonach die höchste Subjektivität zugleich die höchste Objektivität ist. Ich werde insofern hinter dem angekündigten Thema zurückbleiben müssen und darf an dieser Stelle pauschal darauf verweisen, daß für das Jahr 1983 im Verlag Mohr-Siebeck ein Uni-Taschenbuch angekündigt ist, das unter dem Titel »Theologie im 20. Jahrhundert« stehen und den Stand und die Aufgaben der gegenwärtigen theologischen Wissenschaft behandeln soll. Darin werde ich mich im Kapitel über das Neue Testament ausführlicher zur Sache äußern[1].

Einsetzen möchte ich nicht – wie dies in Forschungsberichten allerdings üblich geworden ist – mit den Veröffentlichungen zum Neuen Testament, sondern mit der *didaktischen Situation,* die für unsere Fakultäten und Fachbereiche charakteristisch und auf die wissenschaftliche Arbeit heute von Einfluß ist. Anders als dies in der Generation unserer Lehrer der Fall gewesen ist, ist für uns nicht nur das ›Was‹, sondern auch das ›Wie‹ der Lehre zu einem selbständigen Thema geworden. Die Gründe hierfür sind bekannt: die Studentenbewegung seit Ende der 60er Jahre, das Hochschulrahmengesetz als Grundlegung der Gruppenuniversität, der sich verstärkende Ruf nach Praxisbezug der wissenschaftlichen Theorie, nicht zuletzt die an den theologischen Ausbildungsstätten anwachsenden Studentenzahlen – dies alles hat zu Veränderungen geführt, die es unmöglich machen, den Sektor ›Lehre‹ nur noch als Anhang der ›Forschung‹ zu betrachten; er ist zu einem eigenständigen Aufgabengebiet geworden.

Im Vergleich mit der voraufgehenden Generation haben sich demnach die Bedingungen für die Tätigkeit eines Hochschullehrers an den theologischen Fakultäten nicht unerheblich verändert. Entgegen dem Humboltschen Ideal, wonach der Ordinarius zunächst Vertreter seines Faches ist und die Hörer an seinen Forschungen teilhaben läßt und hierdurch zu selbständiger Forschung befähigt, erscheinen die Möglichkeiten zu eigenständiger Forschung eingeengt. So ist es auch durch finanzielle Beschränkungen bedingt[2], insbesondere jedoch durch die schon ge-

---

*Vortrag am 29. September 1981.

1. *G. Strecker:* Neues Testament, in: *ders.* (Hg.): Theologie im 20. Jahrhundert (UTB 1238), Tübingen 1983, S. 61–145.

2. Ein Beispiel ist die geplante GCS-Edition der Werke des Kirchenvaters Irenäus. Hierzu

nannte Neugewichtung der ›Lehre‹ gegenüber der ›Forschung‹. Andererseits soll nicht verkannt werden, daß hiermit auch manche Chancen für die Gestaltung des Verhältnisses von Lehrenden und Lernenden verbunden sind. So kann der Studierende sein Studium angstfreier und weniger voreingenommen beginnen, und der Hochschullehrer erkennt deutlicher die Aufgabe, daß er immer wieder ab ovo einsetzen und seine eigenen Voraussetzungen und Interessen je neu hinterfragen und sich selbst in Frage stellen muß.

Die Effektivität der ›Lehre‹ wird zu einem hohen Maß von dem Wissensstand beeinflußt, den die angehenden Theologiestudenten von der Schule mitbringen. Hier stehen die theologischen Fakultäten und Fachbereiche in Schicksalsgemeinschaft mit anderen, die sich über die unzureichende Vorbildung ihrer Studenten beklagen und die Schulreform, insbesondere die gegenwärtige Struktur der Sekundarstufe II, hierfür verantwortlich machen. Ob die vorgeschlagene Einführung von Universitäts-Eingangstests die Situation verbessern würde, will ich dahingestellt sein lassen. Immerhin handelt es sich hierbei um einen interessanten Vorschlag, der Fehlentwicklungen vermeiden helfen könnte. Unumgänglich notwendig aber ist, daß in der Schule der Religionsunterricht regelmäßiger erteilt, von überholten Reformkonzepten Abstand genommen und es interessierten Schülern z. B. in Leistungskursen ermöglicht wird, ein Minimum an Vorkenntnissen zu erwerben, wie sie für das Theologiestudium eine unerläßliche Voraussetzung darstellen.

Hierher gehört auch das *Sprachproblem*. Dazu ist festzustellen, daß die Zahl der Dreisprachler unter den Studienanfängern gegenwärtig prozentual zurückgeht. Dies ist vermutlich durch ein verstärktes Angebot von Lateinunterricht an den Schulen begründet. Nachgelassen hat jedoch, wie dies übrigens auch für den Kenntnisstand in deutscher Grammatik und Rechtschreibung zutrifft, die Qualität der Lateinkenntnisse, und es bleibt abzuwarten, ob der Beschluß der Kultusministerkonferenz vom 26. 10. 1979 hieran etwas ändern wird, wonach das ›Latinum‹ in Zukunft allgemein den Schwierigkeitsgrad der Cicero-Texte erhalten soll. Unbefriedigend ist, daß nach wie vor wichtige Universitätssemester für das Erlernen des Griechischen und Hebräischen aufgewendet werden müssen. Angesichts des hohen, allgemein anerkannten Bildungszieles von einer pluralen Schule in einer pluralistischen Gesellschaft sollten auch die Belange der theologischen Wissenschaft in der Schulpolitik stärker Berücksichtigung finden. Für unsere kritischen Studenten, aber auch für die in der Öffentlichkeitsarbeit engagierten Männer der Kirche eine Gelegenheit, sich sinnvoll politisch einzusetzen, um die Eingangsbedingungen des Theologiestudiums zu verbessern.

Daß eine ausreichende Beherrschung der alten Sprachen für Theologie und kirchli-,

---

wurde mir vor einigen Jahren das gesamte Material der ehemaligen Kirchenväterkommission zur Verfügung gestellt, das seit der Zeit von Hans Lietzmann in Ost-Berlin lagerte. Eine Auswertung und Weiterarbeit auf dieser Grundlage ist in absehbarer Zeit nicht möglich, da es nicht gelang, auch nur einen Minimalbetrag für die Bestellung eines wissenschaftlichen Mitarbeiters zu beschaffen.

che Praxis notwendig ist, wird heute kaum noch in Frage gestellt. Das Schlagwort von der »humanistischen Illusion«, welcher die Exegeten angeblich anhängen, hat der nüchternen Einsicht Platz machen müssen, daß die Wissenschaftlichkeit der Theologie, und das heißt auch eine wissenschaftlich verantwortete Praxis, ohne altsprachliche Grundlagen gefährdet ist. Dennoch ist zu bezweifeln, daß der Aufwand des Sprachenlernens und die Nutzung von Sprachkenntnissen in Studium und Praxis in einem angemessenen Verhältnis zueinander stehen. Einerseits werden die Angebote der Linguistik, das Sprachstudium zeitsparend zu gestalten, noch zuwenig genutzt[3], andererseits wird der Sinn des Sprachenlernens in den nichtexegetischen Fächern während des Studiums zuwenig nachvollzogen und schon gar nicht in der zweiten Ausbildungsphase aktualisiert. So ist der Anreiz, das sprachliche Wissen im Studium auszuüben, erheblich gemindert worden, seitdem religionspädagogischer Reformeifer zu Neufassungen der Prüfungsordnungen für das 2. Theologische Examen geführt hat: Teilweise sind die exegetischen Disziplinen nicht mehr als selbständige Prüfungsfächer anerkannt und wird das Verständnis des Urtextes in der mündlichen Prüfung nicht gefordert. Solche Prüfungsordnungen realisieren weder die zentrale Stellung der biblischen Botschaft für die reformatorische Kirche, die in sämtlichen Phasen der Theologieausbildung angemessen zur Geltung kommen müßte, noch entsprechen sie einer Gemeindewirklichkeit, in der nach alter, kirchenamtlich abgesicherter Gewohnheit Sonntag für Sonntag biblische Texte dem Ablauf des Gottesdienstes zugrunde gelegt werden.

Soweit der Bericht zur ›Lehre‹. Sosehr die didaktische Situation umfassender darzustellen und zu bewerten wäre, als dies in diesem Rahmen möglich ist, so sehr stellt sie doch andererseits nur eine, freilich wichtig gewordene Perspektive im Zusammenhang der neutestamentlichen Disziplin dar. Für den Hochschullehrer, der nicht nur die Lehre, sondern auch die Forschung seines Faches wahrnehmen will, und der nach wie vor dem Grundsatz Gehör zu verschaffen sucht, daß die Lehre von der Forschung lebt und nur zu ihrem eigenen Schaden davon getrennt werden kann, ist die Frage nach dem gegenwärtigen Stand der neutestamentlichen Wissenschaft primär die Frage nach dem Forschungsstand.

Die Prognosen über die Zukunft der *neutestamentlichen Forschung* schwanken zwischen Pessimismus und Optimismus. So wird der Standpunkt vertreten, die wesentlichen Fragen seien geklärt und Neues kaum noch zu erwarten. In der Tat liegt die große Zeit der neutestamentlichen Wissenschaft mit ihren wegweisenden Entdeckungen und Hypothesen hinter uns. Die entscheidende Grundlegung etwa der Textkritik, der Einleitungswissenschaft und der Literarkritik mit ihren Quellenhypothesen, mit den Anfängen der Formgeschichte, auch mit der Analyse und Rekonstruktion des religionsgeschichtlichen Umfeldes des Neuen Testaments – dies al-

---

3. Reformbedürftig ist z. B. das Angebot von Sprachkursen, die noch viel zuwenig in der Form von Intensivkursen als Vorbereitung für die Sprachprüfung angeboten werden; sie müßten freilich durch anschließende Lektürekurse ergänzt werden.

les wurde im 19. Jahrhundert erarbeitet, dessen Studium für das Verständnis der Erforschung des Neuen Testaments nach wie vor unverzichtbar ist.

In der ersten Hälfte des 20. Jahrhunderts wurde das gegenwärtige Gebäude der neutestamentlichen Wissenschaft auf diesem Fundament errichtet. Man arbeitete die Detailmethoden, z. B. die Form- und Überlieferungsgeschichte, aus; man hat vor allem unter dem Einfluß der dialektischen Theologie die theologische Komponente ins Spiel gebracht, wie dies Rudolf Bultmann beispielhaft vorführte. Auch spektakuläre Funde sind aufzuweisen, wie die der Rollen in den Höhlen von Qumran – ein seltener Glücksfall, der immer noch viele Aufgaben in sich schließt, dem in diesem Jahrhundert nichts Vergleichbares an paläographischen Entdeckungen an die Seite gestellt werden kann, auch nicht der jüngste Fund von Kodizes-Teilen im St.-Katharinen-Kloster auf dem Sinai[4].

Besagt dies, daß der neutestamentlichen Wissenschaft in der zweiten Hälfte dieses Jahrhunderts nur eine epigonale Existenz übrigbleibt, mit der bescheidenen Aufgabe, das zu bewahren und aufzuarbeiten, was die Generationen vor uns entdeckt haben? Gewiß, das Material, das zur Interpretation der 27 Schriften des Neuen Testaments herangezogen werden kann, ist begrenzt und – im Unterschied zu der reichhaltigen Sekundärliteratur – auch überschaubar. Aber die Interpretation des Neuen Testaments kann und darf sich nicht im Sammeln von z. B. textkritischen oder religionsgeschichtlichen Materialien erschöpfen, auch nicht im Repristinieren von mehr oder weniger gut begründeten Hypothesen etwa zur Quellenscheidung oder Traditionskritik. Sie hat vielmehr eine Verstehensaufgabe durchzuführen und einen Interpretationsprozeß in Gang zu setzen, in den sich der Exeget einbezogen sieht. Die Auslegung des Neuen Testaments ist ein geschichtsbezogenes Phänomen. Sie setzt die Erfahrungen und Hoffnungen der Zeit mit der im Neuen Testament gemeinten ›Sache‹ in Beziehung und macht diese eben dadurch für die Gegenwart transparent. Solch eine Aufgabe ist niemals beendet. Sie ist auf eine unabgeschlossene Zukunft hin geöffnet – entsprechend ihrem Gegenstand, der im Zeugnis des Neuen Testaments zur Sprache gebracht wird.

Was die konkreten Forschungsaufgaben angeht, so setze ich bei der 26. Auflage des *Nestle-Textes* ein, die von Kurt und Barbara Aland bearbeitet und gegenüber den voraufgehenden Ausgaben grundlegend umgestaltet worden ist. Die Änderungen im einzelnen erläutern die Herausgeber in der Einführung (S. 1–38). Im Vergleich mit den älteren Auflagen wird der Text übersichtlicher dargeboten und sind die Randverweise zuverlässiger geworden. Auch die »Anhänge« (I: Auflistung der benutzten Kodizes; II: Zusammenstellung der abweichenden Lesarten in den wichtigsten Textausgaben seit Tischendorf) zeigen, daß mit dem neuen ›Nestle-Aland‹ ein erheblicher Schritt über die vorliegenden kritischen Editionen des griechischen Neuen Testaments hinaus getan worden ist. Die einschneidendste Änderung jedoch ist, daß die Gruppierung der Textzeugen in ›Familien‹, wie sie von J. A. Ben-

---

4. Vgl. dazu den Bericht der H.-Kunst-Stiftung zur Förderung der neutestamentlichen Textforschung, 1979, S. 46–58.

gel begründet wurde und in philologischen Textausgaben seit Jahrhunderten erfolgreich praktiziert wird, nun fast gänzlich aufgegeben wurde. Die eingeführten Sigel 𝔥 (für den hesychianischen oder ägyptischen Texttypus) und 𝔎 (Koine, oder byzantinischer Text) erscheinen nicht mehr. Dagegen findet sich die neue Kürzel 𝔐 (= Mehrheitstext), die sich unterschiedslos auf einige Majuskeln und auf Minuskeln vom 9. bis zum 16. Jahrhundert stützt. Sie reflektiert das Ergebnis der intensiven Sammeltätigkeit des Münsteraner »Instituts für Neutestamentliche Textforschung«. Dabei erlaubt der Wissensstand der in Münster benutzten Computer es offensichtlich nicht, zwischen sekundären und primären Varianten zu unterscheiden und sachlich verwandte Handschriften einander zuzuordnen. So ist denn aus der Not eine Tugend gemacht worden und an die Stelle des ›Wägens‹ das Prinzip des ›Zählens‹ getreten. Diese mit dem Namen »lokal-genealogische Methode« bezeichnete Arbeitsweise ist unbefriedigend, weil sie nur von Fall zu Fall über das Gewicht einer Textlesart entscheidet und hierdurch der Willkür der Bearbeiter Tor und Tür öffnet[5].

Die 26. Auflage des »Novum Testamentum Graece« ist in der angezeigten Textgestaltung freilich nicht konsequent verfahren. Die Sigel für die nach den Forschern Lake und Ferrar benannten Minuskel-Familien f[1] und f[13] sind erhalten geblieben. Dies läßt hoffen, daß das Ziel der klassischen Stemma-Methode, durch Rekonstruktion von Handschriftengruppen sich dem vorausgesetzten Archetyp anzunähern, jedenfalls nicht untergegangen ist. In dieser textgeschichtlichen Situation ist die Erneuerung der *Huck-Lietzmannschen Synopse* von besonderer Bedeutung, die nach langjähriger Vorarbeit Heinrich Greeven nunmehr abgeschlossen hat. Mag man auch der alten Synopse nachtrauern, da die klare Kolumnenanordnung im Verlauf der Erneuerungen der Huckschen Synopse zunehmend an Übersichtlichkeit verloren hat und nunmehr auch die Heranziehung der Parallelen aus dem Johannesevangelium, so hilfreich diese der Sache nach auch sind, das Textbild verundeutlicht, so sind doch viele Verbesserungen zu konstatieren. Hierzu gehört vor allem die eigenständige Textverarbeitung. Dabei ist wichtig, daß Greeven die Sigel 𝔊 und 𝔎 nicht aufgegeben und in einem eindringenden textkritischen Apparat die Textentscheidungen auf der Grundlage der Stemma-Methode durchsichtig gemacht hat. In der gegenwärtigen Situation müssen wir also mit zwei einander nicht angeglichenen textkritischen Positionen arbeiten – eine für den Studenten verwirrende Lage, die dringend der Klärung, nicht zuletzt durch die verantwortlichen Autoren, bedarf.

Ein weiteres Problem stellt die Neuauflage des *Bauerschen Wörterbuches* dar. Die seit langem fällige Neubearbeitung wird ebenfalls durch Kurt Aland vorbereitet. Ursprünglich als zweibändiges Werk angekündigt, soll es nun einbändig erscheinen.

---

5. Vgl. den Nachweis am Beispiel von Mk 2,15f. durch *H.-W. Bartsch:* Zur Problematik eines Monopoltextes des Neuen Testaments. Das Beispiel Markus 2, Vers 15 und 16, ThLZ 105, 1980, S. 91–96; *ders.:* Ein neuer textus receptus für das griechische Neue Testament?, NTS 27, 1981, S. 585–592.

Einschneidend wird die Erweiterung der Anzahl der Belegtexte sein. Die nachneutestamentliche frühchristliche Literatur soll vollständig aufgeführt werden. Ein Beispiel für die auch in anderen Veröffentlichungen des »Instituts für Neutestamentliche Textforschung« in Münster spürbare Tendenz zum Perfektionismus. Diese Tendenz ist bei der Aufstellung etwa der »Vollständigen Konkordanz zum Griechischen Neuen Testament« sicher nützlich; für die Erneuerung des Bauerschen Wörterbuches besagt sie jedoch, daß die ursprüngliche Konzeption nicht weiter verfolgt wird. Die Erforschung der Sprache des Neuen Testaments, der Aufweis des Zusammenhangs der neutestamentlichen Gräzität mit der jüdisch-hellenistischen, insbesondere der hellenistischen Gemeinsprache der neutestamentlichen Zeit, wie dies Walter Bauer im Gefolge von Adolf Deißmann intensiv betrieben hat, dies wird mit der Neuauflage des Wörterbuches zu einem vorzeitigen Ende gekommen sein.

Solches Ergebnis ist um so mehr zu bedauern, als andere Versuche, das hellenistische Erbe für die neutestamentliche Exegese auszuwerten, ihr Anfangsstadium bisher nicht verlassen haben. Ich denke dabei vor allem an die Bemühungen, ein ›Corpus Hellenisticum Novi Testamenti‹ zusammenzustellen, das seit Jahrzehnten in europäischem Maßstab geplant worden ist und so etwas wie ein hellenistisches (bzw. jüdisch-hellenistisches) Ergänzungswerk zu Strack-Billerbeck werden sollte. Die organisatorische Aufteilung in ein Corpus judaeo-hellenisticum (Sitz in Halle) und in ein Corpus pagano-hellenisticum (Utrecht) hat noch nicht zu überzeugenden Ergebnissen geführt. Die in der Reihe »Studia ad Corpus Hellenisticum Novi Testamenti« (SCHNT) veröffentlichten Arbeiten stellen nicht mehr als einen Schritt in die notwendig einzuschlagende Richtung dar. Sie zeigen, daß die zugrundeliegende Zielsetzung offenbar zu ehrgeizig ist. Ich darf bei dieser Gelegenheit noch einmal meinen Vorschlag in Erinnerung rufen, daß es realistischer wäre, wenn man sich entschließen könnte, die vorliegende Ausgabe des alten ›Wettstein‹ aufgrund der neueren Editionen antiker Texte zu überprüfen und begrenzt zu erweitern[6] – das wäre eine Neufassung dieser wichtigen Aufgabe, die noch in dieser Generation bewältigt werden könnte.

Selbstverständlich kann ich an dieser Stelle nicht auf die Einzelheiten der *exegetischen Diskussion* eingehen. Es ist auch schwierig, allgemeine Tendenzen namhaft zu machen. Daß die Neigung zu Spezialisierung und Perfektionismus um sich greift, habe ich schon erwähnt. Aufschlußreich scheint für die gegenwärtige Situation auch die Tendenz zu sein, Ansätze aus dem 19. Jahrhundert bzw. dem beginnenden 20. Jahrhundert aufzunehmen, die durch die dialektische Theologie, aber auch durch die politischen Ereignisse der 30er und 40er Jahre verschüttet wurden. Dies gilt z. B. für das Wiedererwachen der synoptischen Frage (zunächst in den USA, aber inzwischen auch in Europa)[7], auch für die Interpretation des Markus-

---

6. Vgl. G. Strecker in ThLZ 105, 1980, S. 604.
7. Vgl. *W. R. Farmer:* The Synoptic Problem, New York 1964; *D. L. Dungan:* Mark – The Abridgement of Matthew and Luke, Jesus and Man's Hope I, Pittsburgh Theol. Seminary 1970, S. 51–97; *H.-H. Stoldt:* Geschichte und Kritik der Markushypothese, Göttingen 1977.

evangeliums[8], nicht zuletzt für das Verständnis der paulinischen Theologie, deren Einheitlichkeit und Einförmigkeit heute nicht mehr unwidersprochen behauptet werden darf[9]. Hier sind alte und neue Perspektiven zur Diskussion gestellt, die eine eingehendere Beachtung verdienen. Sie führen von harmonisierten Bildern der Vergangenheit fort und vermitteln das Spektrum einer großen Pluralität, welche die neutestamentliche Wissenschaft in Deutschland zunehmend kennzeichnet.

Eine Vielzahl von Perspektiven ist besonders für die *neutestamentliche Hermeneutik* charakteristisch. Seit der Zeit der Aufklärung hat sich die historische Kritik in Anlehnung an die aufstrebenden Naturwissenschaften entfaltet. Die moderne Bibelinterpretation richtet sich nicht nur auf die Rekonstruktion des historischen Damals aus, sondern schließt das Problem der Übertragbarkeit der Textaussage ein. Die hermeneutische Fragestellung ist demnach ein wesentlicher Bestandteil der neutestamentlichen Exegese. Rudolf Bultmanns existential-ontologischer Ansatz – mit der präzisen Frage nach den anthropologischen Strukturen neutestamentlicher Texte – ist bis heute nicht überholt, auch wenn sein Entmythologisierungsprogramm berechtigte Kritik hervorgerufen hat. Auch die sog. »neue Hermeneutik«, die in Auseinandersetzung mit Bultmanns Position das Problem des historischen Jesus wiederzubeleben suchte, muß sich Rückfragen gefallen lassen, insbesondere in Hinsicht auf die von ihr verwendeten Rekonstruktionskriterien[10]. Letzteres ist auch zu einer Reihe von Jesusbüchern jüdischer Autoren zu sagen, die andererseits den jüdischen Horizont der Wirksamkeit Jesu zu Recht herausgestellt haben[11].

Nennt man neuere Ansätze der neutestamentlichen Hermeneutik, so ist der Name von *Hans-Georg Gadamer* sicher noch am Platz. Die von ihm inaugurierte »wirkungsgeschichtliche Methode« ist noch nicht ausdiskutiert. Sie macht auf die Verschränkung von historischer Eigenart und der Applikation des Textes aufmerksam und bringt das Problem des »tua res agitur« auf eine neue Formel[12].

Das Programm einer ›*materialistischen Exegese*‹, das aus Portugal und Frank-

---

8. Vgl. *J. Gnilka:* Das Evangelium nach Markus I–II (EKK 2), Zürich 1978–1979; *R. Pesch:* Das Markusevangelium (HThK 2,1–2), Freiburg 1976–1977; *W. Schmithals:* Das Evangelium nach Markus (ÖTK 2,1–2), Gütersloh 1979; auch *U. Luz:* Markusforschung in der Sackgasse, ThLZ 105, 1980, S. 641–655.

9. Vgl. *H. Hübner:* Das Gesetz bei Paulus (FRLANT 119), Göttingen ²1980; *G. Lüdemann:* Paulus, der Heidenapostel I–II (FRLANT 123. 130), Göttingen 1980. 1983.

10. Zu *G. Ebeling:* Jesus und Glaube, ZThK 55, 1958, S. 64–110; *E. Fuchs:* Die Frage nach dem historischen Jesus, ZThK 53, 1956, S. 210–229; *E. Käsemann:* Das Problem des historischen Jesus, ZThK 51, 1954, S. 125–153; *J. M. Robinson:* Kerygma und historischer Jesus, Zürich ²1967.

11. Vgl. *D. Flusser:* Jesus, Hamburg 1968; *Sch. Ben-Chorin:* Bruder Jesus, München ³1970 u. a.

12. *H.-G. Gadamer:* Wahrheit und Methode. Grundzüge einer philosophischen Hermeneutik, Tübingen ⁴1974.

reich zu uns gekommen ist[13], hat besonders in studentischen Kreisen Anklang gefunden. Handelt es sich hier eher um vorwissenschaftliche Entwürfe, so hat das darin ausgesprochene sozialethische Engagement doch auch in deutschsprachigen Abhandlungen ein Echo gefunden, welche die soziologischen und ökonomischen Voraussetzungen der neutestamentlichen Schriften zu Recht aufgreifen, freilich nicht immer der Gefahr entgehen, die sozialen und politischen Aussagen des Neuen Testaments überzubewerten und dadurch den eschatologischen Vorbehalt außer acht zu lassen, der im neutestamentlichen Credo impliziert ist.

Diskutiert wird ferner die *psychologische Textauslegung.* Sie zeigt sich schon in der Exegese des 19. Jahrhunderts und findet in der Gegenwart besonders in Jesusbüchern einen Niederschlag[14]. Angesichts der schmalen Textbasis stehen ihr berechtigte, freilich auch unberechtigte Widerstände entgegen. Im ganzen läßt sich sagen, daß sich die Anwendung der psychoanalytischen Methode auf das Neue Testament noch in einem Experimentierstadium befindet.

Über das Problem ›*Linguistik und neutestamentliche Exegese*‹ müßte ausführlicher gehandelt werden. Trotz zahlreicher Bemühungen wird man Klaus Koch zustimmen, wenn dieser sagt, daß die deutschsprachige Literatur »zur Benutzung linguistischer Voraussetzungen der Exegese« »spärlich« ist und »eine wirkliche Verarbeitung der Berührung zwischen Ergebnis und Methoden der Formgeschichte auf der einen, und der Linguistik auf der anderen Seite« noch aussteht[15]. Nicht bestritten werden sollte, daß eine kontrollierte Anwendung der Ergebnisse der Linguistik die strukturalen Probleme des neutestamentlichen Textes besser verstehen lehrt. Jedoch ist der Absolutheitsanspruch einer auf sich gestellten strukturalistischen Exegese abzuweisen; indem sie nur eine »synchronische Wahrheit« erschließt, wird sie der im Text bezeugten eschatologischen Wahrheit nicht gewahr und verfällt der Geschichtslosigkeit.

In den Bereich der Hermeneutik gehört das *Kanonproblem,* dessen historische und theologische Seite verstärkt debattiert wird. Umstritten ist nach wie vor, ob Markion die Idee einer christlichen Bibel geschaffen hat[16] oder ob die Ursprünge des neutestamentlichen Kanons vor Markion anzusetzen sind. Zweifellos ist die Kanonbildung nicht nur auf ein Motiv, etwa auf die Auseinandersetzung mit der Gnosis des 2. Jahrhunderts, zurückzuführen. Auch wenn die Identitätsfindung der entstehenden Großkirche durch den antignostischen Kampf mitbestimmt wurde, so wird man insgesamt doch mit einem länger andauernden Prozeß rechnen müssen, wie denn ein vorläufiger Abschluß der Kanonbildung erst in der Reichskirche des 4. Jahrhunderts erreicht wurde.

---

13. *F. Belo:* Das Markus-Evangelium materialistisch gelesen, Stuttgart 1980; *M. Clevenot:* So kennen wir die Bibel nicht, München ²1980.
14. Vgl. *K. Niederwimmer:* Jesus, Göttingen 1968; *H. Wolff:* Jesus der Mann, Stuttgart ²1972.
15. Vgl. *K. Koch:* Was ist Formgeschichte?, Neukirchen-Vluyn ³1974, S. 333.
16. So *H. v. Campenhausen:* Die Entstehung der christlichen Bibel (BHTh 39), Tübingen 1968, S. 174.

Blieb die theologische Bedeutung der einzelnen neutestamentlichen Schriften auch nach dem Abschluß des Kanons umstritten und erfolgte eine Bewertung schon in der Frühzeit aufgrund der Kriterien der ›Apostolizität‹ und ›Katholizität‹, so stellt sich damit das Problem des Verhältnisses von *Schrift und Tradition,* das durch das Urchristentum mit der Rezeption des Alten Testaments vorbereitet wurde. Macht E. Käsemanns bekannte Formulierung, daß der neutestamentliche Kanon »als solcher nicht die Einheit der Kirche ..., dagegen die Vielfalt der Konfessionen« begründet[17], auf die unleugbare theologische Pluralität des Neuen Testaments aufmerksam, so sagt sie doch nichts über das unaufgebbare ›Prae‹ des Neuen Testaments gegenüber der kirchlichen Dogmen- und Konfessionsbildung aus. Dieses ist nicht nur eine historische Vorgabe, sondern läßt sich sachgemäß nur christologisch definieren. Bezog Martin Luther das »solus Christus« auf »alles, was Christum treibet«[18], so läßt dieses Kriterium die Einheit und Verschiedenheit der im Neuen Testament zusammengestellten Schriften sichten. Jedoch darf es nicht mechanisch auf das Verhältnis der einzelnen Teile des Neuen Testaments zur vorausgesetzten ›Mitte‹ angewendet werden, sondern es kennzeichnet die entscheidende Perspektive, auf die nicht nur die verschiedenartigen Zeugnisse der neutestamentlichen Schriftsteller, sondern auch die ihnen vorgegebenen Überlieferungen angelegt sind.

Wird durch die neutestamentliche Hermeneutik die Brücke zwischen dem in der Vergangenheit gewachsenen Text und der Gegenwart des Exegeten geschlagen, so ist die *Übersetzung des Neuen Testaments* die letzte Station, in der sich neutestamentliche Auslegung bewähren muß. Neben vielen bewährten und modernen, auch Teilübertragungen sind an dieser Stelle vor allem zwei Übersetzungen zu nennen, die einen beinahe amtlichen Charakter tragen und eine größere Beachtung gefunden haben. Die sog. »Einheitsübersetzung«[19] ist ein ökumenisches Gemeinschaftswerk, wenn es auch auf katholische Initiative zurückgeht und erst in einer fortgeschrittenen Phase evangelische Fachvertreter hinzugezogen wurden. Diese Übersetzung nimmt das Zugeständnis des Zweiten Vatikanischen Konzils auf, wonach neben der Vulgata auch der griechische Urtext zugrunde gelegt werden kann[20]. Zur Einheitlichkeit dieser Übersetzung trägt bei, daß die Wiedergabe der biblischen Namen im Anschluß an die »Loccumer Richtlinien« erfolgt, was freilich zu der Anfrage führen muß, ob die Ersetzung von traditionellen, durch gottesdienstlichen und unterrichtlichen Gebrauch eingebürgerten Namen durch teilweise

---

17. *E. Käsemann (Hg.):* Das Neue Testament als Kanon, Göttingen 1970, S. 131.
18. *M. Luther:* Das Neue Testament, 1522: Vorrhede auff die Episteln Sanct Jacobi unnd Judas (WA DB 7, 184,25–32).
19. Einheitsübersetzung der Heiligen Schrift. Das Neue Testament, hg. im Auftrag der Bischöfe Deutschlands u. a. und des Rates der EKD, Stuttgart 1980 (= 2. revidierte Auflage der Endfassung).
20. Zweites Vaticanum, Dogmatische Konstitution über die göttliche Offenbarung, Nr. 22, in: Das Zweite Vatikanische Konzil. Konstitutionen, Dekrete und Erklärungen. Lateinisch und deutsch. Kommentare, in: LThK, Teil II, ²1967, Sp. 572–575.

problematische Neubildungen und neue Schreibweisen als Fortschritt gutzuhei-
ßen ist. Doch sollte zugestanden werden, daß diese Übersetzung einen weiteren
Schritt in Richtung auf eine größere ökumenische Gemeinsamkeit zwischen den
beiden großen Kirchen darstellt.

Als jüngstes kirchenamtlich gefördertes Übersetzungsunternehmen ist die Revision der Lutherbibel, das sog.»Neue Testament 75«[21], zu nennen. Seine Autoren
wollen einerseits die Sprache Luthers möglichst erhalten, andererseits aber die
deutsche Umgangssprache in einem hohen Maße berücksichtigen. Das Ergebnis
ist umstritten: Nur noch 60–65% des ursprünglichen Luthertextes sind im »NT 75«
übriggeblieben. Spezifische sprachwissenschaftliche Gesichtspunkte haben zu einer Ausmerzung von Elementen der Sprache Luthers geführt, die gerade im liturgischen Gebrauch sinnvoll sind (vgl. die Beseitigung der Inversion zum Beispiel in Mt
28,10; Lk 2,1 u. ö.). Auch theologische Kernsätze (wie Joh 1,14) sind in dieser
Übertragung umgestaltet worden. Die zahlreichen Proteste und die schon begon-
nenen Korrekturarbeiten lassen hoffen, daß die Revision in absehbarer Zeit auf ein
theologisch und kirchlich verantwortbares Ausmaß zurückgenommen werden
wird.

---

21. Die Bibel oder die ganze Heilige Schrift des Alten und Neuen Testaments nach der Übersetzung Martin Luthers. Revidierter Text 1975 (mit Nachänderungen 1977), Stuttgart 1978.

2. Zur Situation der neutestamentlichen Schriftauslegung in Österreich*
Kurt Niederwimmer

I.

Ehe ich von der neutestamentlichen exegetischen Arbeit an der Wiener evangelisch-theologischen Fakultät spreche (der einzigen evangelisch-theologischen Fakultät des Landes), erlauben Sie, daß ich ein paar Worte über die katholischen Schwesterfakultäten und ihre exegetische Arbeit verliere. Ich beschränke mich dabei nur auf wenige Andeutungen. Die anwesenden katholischen Kollegen werden gerne bereit sein, im anschließenden Gespräch Ergänzungen und Korrekturen anzubringen.

Katholisch-theologische Fakultäten gibt es in Österreich in Wien, in Salzburg, in Innsbruck und in Graz – überall innerhalb der jeweiligen Universität. Daneben gibt es eine Reihe von theologischen Ausbildungsstätten außerhalb der staatlichen Universitäten. Als bekannteste ist wohl die theologische Lehranstalt in Linz zu nennen, die in den Rang einer päpstlichen Fakultät erhoben worden ist.

Das äußere Bild stellt sich vermutlich nicht viel anders dar als an den katholisch-theologischen Fakultäten Westdeutschlands. Die Situation ist zunächst durch das sprunghafte Ansteigen der Studentenzahlen bestimmt. Ich nenne als Beispiel die Wiener katholisch-theologische Fakultät: In Wien studierten bis vor kurzem etwa 300 Theologiestudenten; heute sind es an die 1600. Man muß allerdings sofort hinzusetzen, daß die Zahl derer, die ihr Studium positiv abschließen, erheblich geringer ist; wie man ebenso hinzusetzen muß, daß nur ein relativ geringer Prozentsatz (man spricht von etwa 10%) das Priesteramt anstrebt. Das die Situation prägende neue Phänomen ist das der sog. »Laientheologen«. Die Mehrheit der Laientheologen strebt ein Amt im Rahmen des Religionsunterrichtes an, der in Österreich relativ obligat ist (d. h.: obligat, solange sich der Betreffende nicht ausdrücklich vom Unterricht abmeldet). Gleichwohl ist die große Zahl von Laientheologen ein eigentümliches und erst die jüngste Zeit prägendes Phänomen, ihre Stellung im Rahmen ihrer Kirche begreiflicherweise nicht immer ganz unproblematisch. Um den äußeren Rahmen abzustecken, in dem exegetische Arbeit geschieht, ist noch auf weiteres hinzuweisen: die Studienreform. Das Studium der katholischen Theologie kennt in Österreich drei Studienzweige: die sog. »Fachtheologie«, das kombinierte religionspädagogische Studium und das Studium der Religionspädagogik allein. Auch das (die Aufgliederung in drei Studienzweige) ist innerhalb der langen Geschichte der katholisch-theologischen Fakultäten Österreichs natürlich ein Novum. Die Aufgliederung in die drei Studienzweige existiert seit 1969.

Die exegetische Ausbildung ist intensiver geworden, als sie in früheren Zeiten war.

*Vortrag am 29. September 1981.

Auch das dürfte den Verhältnissen in Deutschland entsprechen. Gleichwohl ist hier auf eine Besonderheit hinzuweisen: Das Allgemeine Hochschulstudiengesetz (verbindlich für sämtliche Studienrichtungen an österreichischen Hochschulen) schreibt für die österreichischen Studienrichtungen eine Zweistufigkeit bzw. eine Dreistufigkeit vor (d. h. die Abfolge eines ersten Studienabschnittes, der den Grundstudien dient, eines zweiten Abschnittes, der zu Aufbaustudien dient, und eines allfälligen dritten Studienabschnittes: Doktoratsstudien). Diesen Vorschriften haben die Studien der katholischen Theologie zu entsprechen, und das trifft demgemäß auch für die exegetischen Studien der katholisch-theologischen Fakultäten zu. So etwa sieht der äußere Rahmen aus, in dem sich die exegetischen Studien der neutestamentlichen Arbeit an den katholisch-theologischen Fakultäten abspielen und allein abspielen können.

Die historisch-kritische Methode wird in der exegetischen Arbeit von seiten der Lehrenden überall grundsätzlich bejaht. Doch besteht verschiedentlich ein großes Interesse an neuen methodischen Möglichkeiten innerhalb der Exegese. Ob die historisch-kritische Arbeit bei den Studierenden zu Konflikten führt, wird verschieden beurteilt. Vielleicht liegen innerhalb der katholischen Theologie unseres Landes die konfliktträchtigen Elemente eher in anderen Bereichen.

Die wissenschaftliche Arbeit der katholischen Kollegen ist uns aus ihren Monographien, Aufsätzen, aus ihrer Mitarbeit bei Festschriften und im lexikalischen Bereich bekannt.

Die Themen sind vielfältig, sie umfassen das Ganze der neutestamentlichen Arbeit. Irgendeine Gesamtlinie oder Gesamtrichtung, durch die sich die österreichische katholische Exegese des Neuen Testaments von der sonst im deutschen Sprachraum üblichen deutlich abgrenzen würde, ist nicht erkennbar. Vielleicht ist hier auch gleich auf die beiden Reihen hinzuweisen: Österreichische Biblische Studien (Hg. Beilner, Braulik, Füglister, Kremer); Studien zum Neuen Testament und seiner Umwelt (Hg. Albert Fuchs). Aus Gesprächen habe ich immer wieder den Eindruck gewonnen, daß die wissenschaftliche Arbeit und Produktion hierzulande erheblich auch von pastoralem Interesse und pastoralen Aufgaben begleitet ist. Ich vermag nicht zu beurteilen, ob das etwa in Deutschland ähnlich ist, für die Situation der katholisch-wissenschaftlichen Schriftauslegung in Österreich scheint mir das jedenfalls charakteristisch, oder besser: auch charakteristisch zu sein. Die Kollegen werden immer wieder zur leitenden Teilnahme an Exerzitien, an theologischen Kursen, speziell auch an Laienkursen eingeladen. In Wien spielt die Mitarbeit an der Stiftung »Pro oriente« eine gewisse Rolle, die sich das Gespräch mit den verschiedenen Ostkirchen, und zwar speziell das theologische Gespräch, zum Ziel gesetzt hat. – In steigendem Maße dringt die exegetische Arbeit auch an die innerkirchliche und außerkirchliche Öffentlichkeit. Es besteht ein gewisses Interesse an bibeltheologischen Fragen. Aber ich glaube, der innerkirchlichen und außerkirchlichen Öffentlichkeit nicht allzusehr Unrecht zu tun, wenn ich vermute, daß dieses speziell bibeltheologische Interesse begrenzt ist und vom Interesse an anderen theologischen Disziplinen übertroffen wird. Man muß sich, um das zu verstehen, die besonderen Traditionen dieses Landes vor Augen führen. Ich komme darauf noch zurück.

Wichtiger scheinen da schon die Kontakte zwischen den einzelnen Instituten bzw. den Kollegen untereinander. Im vergangenen Jahr (1980) wurde in Wien zum erstenmal für die katholischen Kollegen ein sog. Colloquium biblicum veranstaltet, das sehr erfolgreich verlief, Alttestamentler und Neutestamentler vereinigte und in Zukunft alle zwei Jahre wiederholt werden soll. Es waren Kollegen auch aus der DDR, aus Polen und Ungarn anwesend. Dieses Colloquium biblicum Vindobonense könnte sich zu einer sehr wichtigen Institution herausbilden.

Zu den erfreulichsten Elementen gehört das (ich spreche jetzt von Wien) völlig unproblematische Nebeneinander und Miteinander der beiden neutestamentlichen Institute, des katholischen und des evangelischen. Es gibt zwischen der katholischen und evangelischen neutestamentlichen Arbeit einen regen und regelmäßigen Gedankenaustausch; geplant sind auch gemeinsame Lehrveranstaltungen (wie sie in anderen Disziplinen bereits stattgefunden haben). Konfessionelle Probleme spielen in den exegetischen Colloquien keine oder nur eine sehr geringe Rolle. Die katholische wie die evangelische Exegese haben beide ihre wissenschaftlichen Probleme und Aporien. Aber die Probleme und Aporien sind in der Regel nicht kontroverstheologisch vermittelt.

II.

Ich bin mir bewußt, mit alledem nur einen sehr allgemeinen Überblick gegeben zu haben. Konkreter kann ich natürlich über die Situation der neutestamentlichen Exegese im evangelischen Bereich hierzulande sprechen. Und das soll jetzt, in einem zweiten Teil, in großen Zügen geschehen.

a) Es scheint mir zunächst notwendig zu sagen, daß die exegetische Arbeit an der Wiener Fakultät (spätestens seit der Jahrhundertwende) völlig im Rahmen der deutschsprachigen bzw. überhaupt der internationalen exegetischen Arbeit geschieht. Ich nenne vielleicht die Namen von Neutestamentlern, die an der Wiener Fakultät lehrten: P. Feine, R. Knopf, R. A. Hoffmann, G. Kittel, G. Stählin, B. Reicke, Chr. Maurer, G. Fitzer. – Die evangelische Kirche in Österreich ist eine Minderheitenkirche, aber an der Wiener Fakultät herrscht keine Minderheiten-Mentalität. Es geht zu wie an jeder anderen deutschsprachigen Fakultät auch (NB: Die Fakultät existiert seit 1821 als Evangelisch-theologische Lehranstalt, seit 1850 als theologische Fakultät und ist seit 1922 der Universität inkorporiert). Die Zugehörigkeit zur Alma Mater Rudolphina ist für uns selbstverständlich und unproblematisch. In den letzten Jahren stellte unsere Fakultät zweimal den Rector magnificus der Universität. Wir haben z. Z. an die 220 Studenten, davon etwa ein Drittel aus dem Ausland (BRD und Schweiz in erster Linie). Ich möchte ausdrücklich betonen, daß wir auf diesen relativ hohen Prozentsatz von Ausländern großen Wert legen, und ich möchte darauf hinweisen, daß die Studenten hier in Wien noch eine überschaubare Fakultät vorfinden, mit Seminaren von 30–40 Teilnehmern, mit der Möglich-

22

keit zu einem engeren Kontakt mit Professoren, Assistenten und Kommilitonen. Wer einen solchen Kontakt sucht, hat ihn bei uns noch immer gefunden. Und daß der Aufenthalt in Wien in der Regel länger dauert, als er ursprünglich geplant war, hat uns immer wieder gefreut.

b) Auch für die exegetische Arbeit an unserer Fakultät gilt in Zukunft die von den Rahmengesetzen vorgeschriebene Zweistufigkeit bzw. Dreistufigkeit: Grundstudium – Aufbaustudium – Doktoratsstudien. Doch bringt das für den exegetischen Betrieb selbst keine Veränderungen: Die Lehrveranstaltungen waren schon in den letzten Semestern so ausgerichtet, daß sie auch den neuen Studienvorschriften genügen. Die Themen der exegetischen Lehrveranstaltungen entsprechen der Tradition. Daß die selbstverständliche Vertrautheit mit bestimmten Motiven der christlichen Tradition bei den Studenten zusehends zurückgeht, dürfte bei uns nicht anders sein als anderswo. Daß die Sprachbarriere immer merklicher wird, dürfte ebenso auch für andere Fakultäten zutreffen. Damit ist die Zahl derer, die für eine über das Durchschnittsmaß hinausgehende Beschäftigung mit exegetischer Arbeit in Frage kommen, von vornherein geringer als in früheren Zeiten. Aber über mangelndes Interesse kann man sich nicht beklagen. In jüngster Zeit ist über die Grenzen Österreichs hinaus der teilweise starke Gegensatz, die starke Polarisierung innerhalb der Studentenschaft, aber z. T. auch schon der Pfarrerschaft bekanntgeworden. Es ist aber auffällig, daß dieser Gegensatz die eigentliche wissenschaftlich-exegetische Arbeit im Neuen Testament selbst nicht prägt, und zwar durch das Schweigen der evangelikalen Seite. Der in der Studentenschaft herrschende Gegensatz von (ich rede in Schlagwörtern) evangelikal gesinnten und »progressiven« Gruppen, der unsere Studentenschaft, aber auch bereits die jungen Vikare stark prägt und zu erheblichen Spannungen führt, wirkt sich in den neutestamentlichen Seminaren, Übungen und Privatissima nicht aus. Es gibt sicher eine Auseinandersetzung zwischen evangelikaler Tendenz und historisch-kritischer Methode, aber sie wird in den neutestamentlichen exegetischen Lehrveranstaltungen in der Regel nicht hörbar. Den evangelikal eingestellten österreichischen Theologiestudenten fällt es offenbar schwer, ihre Motive zu verbalisieren. Cum tacent, clamant. Wir stoßen hier bereits auf ein für die österreichischen Verhältnisse bezeichnendes Phänomen, das sich wohl aus der Minderheitensituation erklärt: Es gibt (allgemein gesprochen) in neuerer Zeit stärker als früher den Protest bestimmter Gruppen gegenüber der historisch-kritischen Methode. Aber es fehlt bei uns (von Ausnahmen abgesehen) eine öffentliche und spezifisch theologische Auseinandersetzung. Dieser Mangel macht sich schon in der Zeit der Ausbildung an der Fakultät bemerkbar.

c) Ich komme auf diese Weise wie von selbst auf die für die Situation in einer Diasporakirche besonders wichtige Frage nach der Stellung der exegetischen Arbeit in der Öffentlichkeit zu sprechen. Die Exegeten unserer Fakultät hatten und haben reichlich Gelegenheit, etwas von ihrer Arbeit in die Öffentlichkeit zu tragen. Hier wirkt sich nun freilich sehr wohl für die evangelische Exegese die Minderheitensituation aus. Die Öffentlichkeitsarbeit geschieht nur relativ selten im rein innerprotestantischen Raum; häufig sind die Einladungen von katholischer Seite ausgesprochen, zumeist ist das Forum von vornherein nicht konfessionell festgelegt. Wir sind immer wieder zur Mitarbeit bei öffentlichen Vorträgen, in Sendungen des Rundfunks und des Fernsehens herangezogen worden. Das dabei zutage tretende öffentliche Interesse gilt dabei häufig nicht speziell dem evangelischen Theologen, sondern dem Exegeten; und das Interesse ist offensichtlich von dem bibeltheologischen Aufbruch innerhalb der römischen Kirche geprägt. Dazu kommt ein Weiteres: Allgemein wird man vermuten dürfen, daß die Voraussetzungen, auf die man bei den Hörern trifft, geringer sind als in Ländern, in denen die historisch-kritische Arbeit an der Bibel im größeren oder geringeren Maße auch zum allgemeinen Kulturgut geworden ist. Daß die großen Traditionen der historisch-kritischen Theologie hierzulande zum allgemeinen Kulturgut gehören, dessen Kenntnis man bis zu einem gewissen Grad voraussetzen darf, wird man schwerlich behaupten dürfen. Man darf demgegenüber nicht auf die Tatsache rekurrieren, daß der österreichische Protestantismus doch immerhin seit 1781 toleriert und seit 1861 gleichberechtigt ist, wobei man dann etwa von ihm zu erwarten hätte, daß er auch im Hinblick auf die protestantische Tradition der historisch-kritischen Bibelauslegung auf das gesellschaftliche Bewußtsein seiner Umwelt bildend eingewirkt haben könnte. Das ist aber kaum der Fall, und zwar aus zwei Gründen: *Einmal* hat man sich vor Augen zu führen, daß der Protestantismus in Österreich bis auf diesen Tag eine Minderheit geblieben ist und daß man (bei aller verdienten Anerkennung seiner historischen Rolle) seinen Einfluß auf das österreichische Kulturleben nicht überschätzen darf. Das vielzitierte Toleranzpatent von 1781 und die Gleichberechtigung von 1861 haben dem österreichischen Protestantismus zwar einen großen Auftrieb gegeben, aber die Bedeutung, die er einst in reformatorischer und nachreformatorischer Zeit gehabt hat, konnte er hierzulande seither nicht wiedergewinnen. Demgemäß ist auch der Einfluß des Protestantismus auf die österreichische Kultur des 19. und 20. Jahrhunderts einzuschätzen. (Übrigens ist interessant, den ungleich größeren Einfluß des Judentums auf die österreichische Kultur im gleichen Zeitraum zu vergleichen, doch kann ich hier auf die damit verbundenen Fragen nicht eingehen.) Dazu kommt aber nun noch (und das ist das *andere*), daß die historisch-kritischen Traditionen der evangelischen Theologie auch innerhalb des österreichischen Protestantismus (soweit ich sehe) keinen tiefen Einfluß gewonnen haben. Das allgemeine Bewußtsein ist viel stärker von einer Frömmigkeit bestimmt, die eher für biblizistische und evangelikale Formen des Glaubens offen ist als für historisch-kritische Forschung. Natürlich gibt es Ausnahmen, aber die Ausnahmen bestätigen nur die Regel. In diesem Zusammenhang wird man auch über den Einfluß der exegetischen Arbeit unserer Fakultät auf die innerprotestantische Öffentlichkeit in Vergangenheit und Gegenwart eher zurückhaltend urteilen müssen. Die exegetische Arbeit gilt zwar innerhalb der protestantischen kirchlichen Öffentlichkeit als notwendig, sie ist offiziell unangefochten, sie wird respektiert, aber sie ist – trotz allem – wenig bekannt. Es gibt daher auch hier in Österreich nach alledem im Rahmen des Protestantismus (wenn man von seltenen Ausnahmen absieht) kaum eine öffentliche Auseinandersetzung um die exegetische Arbeit oder um die historisch-kritische Methode und ihre Implikationen. Gewiß, gelegentlich ist auch bei uns davon die Rede, aber die diesbezüglichen Auseinandersetzungen sind mit denen in anderen Ländern kaum zu vergleichen. Fast möchte ich meinen, daß da die katholische Öffentlichkeit noch stärker von den damit angesprochenen Problemen tangiert ist, obwohl man sich (wie ich schon sagte) auch hier vor Überschätzungen hüten soll. – Ich füge nun freilich sofort hinzu, daß – rebus sic stantibus – gerade für eine Minderheitenkirche die Existenz einer theologischen Fakultät im Rahmen der Universität und damit auch die Arbeit der historischen Theologie im Rahmen des allgemeinen wissenschaftlichen Bewußtseins von erheblicher Bedeutung ist. Das ist die andere Seite des Sachverhalts. Eine Minderheitenkirche ist immer in der Gefahr, eine Ghettomentalität anzunehmen. Zu den Faktoren, die unsere Kirche davor bewahren, gehört nicht zuletzt ihre theologische Fakultät, weil die an ihr geleistete Arbeit die Verbindung mit dem wissenschaftlichen Bewußtsein der jeweiligen Gegenwart herstellt und dazu zwingt, sich den Herausforderungen der Gegenwart zu stellen.

d) Ich habe zuvor auf die Namen von Neutestamentlern hingewiesen, die an unserer Fakultät gelehrt haben. Diese Namen zeigen, daß es keine durchhaltende, keine eigene exegetische Richtung an unserer Fakultät gab bzw. gibt. Aber vielleicht kann man doch sagen, daß wenigstens in den letzten Jahrzehnten gewisse gemeinsame durchhaltende Tendenzen der neutestamentlichen Arbeit bestanden haben. Man könnte hier zunächst das (besonders in der Ära Fitzer) gepflegte Gespräch um die methodischen Grundlagen der Exegese nennen; das brachte und bringt eine Öffnung gegenüber der systematischen Theologie und vor allem auch gegenüber der philosophischen Reflexion. In diesem Zusammenhang ist aber auch (sodann) eine gewisse Offenheit für die heute sog. »Humanwissenschaften« charakteristisch, und d. h. hier speziell für die Psychoanalyse. Es ist wohl nicht notwendig, ausdrücklich zu betonen, daß es sich dabei um Teilelemente handelt, die die hier betriebene Arbeit der letzten Jahrzehnte vielleicht mitbestimmt, aber keineswegs allein oder wesentlich geprägt haben. Versucht man das Ganze zu überblicken, dann drängt sich der Eindruck auf, daß in den exegetischen Arbeiten das Thema der urchristlichen Ethik eine gewisse Rolle gespielt hat; doch sind daneben andere Themen aus anderen Teildisziplinen unserer Wissenschaft nicht zu kurz gekommen. In jüngster Zeit wird speziell das interdisziplinäre Gespräch innerhalb der theologischen Disziplinen gepflegt. Das geschieht insbesondere in den Oberseminaren oder Privatissima. Wir haben in den letzten Semestern öffentliche Fakultätsdisputationen zwischen den Professoren veranstaltet, und dabei sind auch exegetische Themen verhandelt worden. Als besonders weiterführend empfinde ich darüber hinaus Zusammenkünfte der Professoren, bei denen Gelegenheit gegeben ist, eigene Thesen oder Fragestellungen im Kollegenkreis vorzutragen. Die Fragen der Exegese werden gehört und ernsthaft diskutiert, und das schlägt sich dann auch in den Lehrveranstaltungen nieder. Vielleicht partizipieren wir hier an den Vorteilen einer relativ kleinen und überschaubaren Fakultät. In unserer Arbeit der letzten Zeit sind es vor allem hermeneutische Probleme, die im interdisziplinären Gespräch mit einer gewissen Konstanz wiederkehren. Sie begreifen sich aus der Tatsache, daß das Gespräch vorwiegend zwischen Exegese und Dogmatik bzw. als Dreiergespräch zwischen Exegese, Dogmatik und Philosophie stattfindet. Es sind traditionelle, schulmäßige Fragen, die uns umtreiben, und sie partizipieren an der Unabgeschlossenheit und Offenheit eines jeden wirklichen Gesprächs. Gerade weil wir uns hierorts traditionellermaßen um eine sinnvolle, methodisch durchdachte Beziehung von Exegese und Systematik bemühen und keinem Wissenschaftsverständnis huldigen, das der Exegese erlauben würde, sich den Rückfragen der Systematik zu entziehen – gerade also weil das Eingehen auf das Zirkelverhältnis von Exegese und Dogmatik als unausweichlich angesehen wird, gerade weil es als ausgemacht gilt, daß nicht nur systematische Theologie ohne exegetische Begründung bodenlos wird, sondern daß ebenso jede exegetische Arbeit immer schon (und sei es auch nur implizit) eine bestimmte systematische Position voraussetzt –, gerade deshalb kommt es in der Konkretion dieses Verhältnisses zu erheblichen Problemen. Es herrscht hier bei uns ein enger Kontakt zwischen Exegeten und Systematikern, aber die exegetischen und systematischen Arbeiten und Entwürfe gehen doch (und zwar zunehmend mehr) auseinander. Der Neutestamentler sieht sich sehr oft gegenüber stark abstrahierend vorgehenden systematischen Entwürfen in die Rolle eines Anwalts der Texte gedrängt. Die Probleme kreisen dabei auch bei uns um die Frage nach einem innerkanonischen Sachkriterium einerseits und der scriptura tota andererseits. Die Systematiker sehen sich zuweilen dem Vorwurf ausgesetzt, bei der exegetischen Fundierung ihrer Aussagen tendenziös vorzugehen (Stichwort: tendenziöse Auswahl), als ob die Texte ein thesaurus wären, dem man nach Belieben und zeitgenössischem Geschmack entnimmt, was gefällt, wobei man zugleich liegenläßt, was mißfällt. Gegenüber jeder vorschnellen Systematisierung erscheint es als Aufgabe des Historikers, gerade die sperrigen und widerständigen Elemente der Überlieferung zu betonen und gebührend zur Geltung zu bringen. Dabei sind wir uns hier im interdisziplinären Gespräch doch darin einig, daß es um die Frage der Identität der Kirche geht, um die Frage der Identität ihres Glaubens und dann auch um die Frage der Identität mit den Ursprüngen. Wie kann diese sichergestellt werden? Wie kann die Identität gesichert bleiben bei gleichzeitiger (unzweifelhaft unvermeidbarer) historischer Wandlung und Differenz? Kann man hier mit dem Begriffspaar von bleibender Intention und sich verändernder Vermittlung operieren? Und wenn man es tut, wie ist das Verhältnis der beiden Begriffe genauerhin zu bestimmen? Wir empfinden in unseren interdisziplinären Gesprächen die Frage nach der Identität der Kirche und ihres Glaubens gegenüber der Historie sehr oft als bedrängendes Problem. Und wir perhorreszieren eine Hermeneutik, die es der systematischen Theologie zu leicht macht.

e) Ich komme zum Schluß. Ich habe in den letzten Sätzen versucht, ein wenig Einblick zu geben in unsere Fragen und Gespräche, die noch durchaus offen sind. Ich möchte nicht den Eindruck erwecken, daß dies den Alltag der exegetischen Arbeit bestimmt. Der Alltag sieht ganz anders aus. Es ist dafür gesorgt, daß die traditionelle historische und philologische Arbeit nicht zu kurz kommt. Vielleicht darf ich hier (zusätzlich und anmerkungsweise) auf die erfreulichen Verbindungen zur Wiener patristischen Arbeit hinweisen, die durch meine Teilnahme an der patristischen Kommission der Akademie der Wissenschaften gegeben ist. Die neuen Studienpläne sehen (das ist ein Novum gegenüber früher). Einführung in die frühe Patristik als Wahlfach des zweiten Studienabschnittes vor. Lehrveranstaltungen seminaristischen Charakters zu frühpatristischen Themen werden regelmäßig angeboten. Doch betrifft dies nicht nur die Lehre, sondern auch die Forschung. Verbindungen in dieser Richtung, die zu den großen Traditionen der deutschsprachigen Theologie gehören, sollen in Zukunft stärker gepflegt werden. Auch das scheint mir eine wichtige Aufgabe zu sein, die unsere Aufmerksamkeit verdient.

3. Heutige Schriftauslegung in der welschen Schweiz und im französischen Protestantismus*
François Bovon

Da die sprachlichen Grenzen für die Theologie größere Bedeutung haben als die nationalen, habe ich beschlossen, über die Ihnen wahrscheinlich weniger bekannte welsche Schweiz und den französischen Protestantismus zu sprechen. Anderseits, da die konfessionellen Unterschiede in der Exegese weniger akzentuiert geworden sind, ist es heutzutage unmöglich, die enge Verbindung mit der katholischen Exegese zu vernachlässigen. Wenn nicht direkt im Namen der Toleranz, so doch der gegenseitigen Anerkennung und des gemeinsamen christlichen Glaubens, haben kürzlich mehr als hundert Exegeten die erste vollständige, mit zahlreichen Anmerkungen versehene, Bibelübersetzung herausgegeben: die »Traduction Oecuménique de la Bible« (TOB)[1].

Was einen, der mit dem französischen Zentralismus vertraut ist, am meisten erstaunt, ist die Verstreutheit der Orte, wo Wissenschaft betrieben wird: L'Ecole biblique de *Jérusalem*[2] mit ihrem Akzent auf der Archäologie; die zahlreichen französischen Kollegien im päpstlichen biblischen Institut in *Rom*[3], die sowohl die Stilistik in der Exegese als auch die Targumforschung betreiben; l'Institut catholique de *Paris*[4] und andere Fakultäten in der Hauptstadt, die sich mit der Judaistik und dem Dialog mit dem heutigen Denken beschäftigen; *Lyon* mit seinem Zentrum für Semiotik und Bibelarbeit[5], *Freiburg* in der Schweiz[6] sowie *Straßburg*[7] als Brücken zur deutschsprachigen Wissenschaft (Textkritik in Freiburg, patristische Exegese in Straßburg); *Louvain-la-Neuve*[8] mit ihrer ehrwürdigen belgischen wissenschaftlichen Tradition; erstaunlich lebendig die exegetische Arbeit in *Quebec*[9], im Dialog sowohl mit dem amerikanischen Strukturalismus als auch mit der französischen

---

*Vortrag am 29. September 1981.

1. *Traduction oecuménique de la Bible.* Édition intégrale. Le Nouveau Testament, Paris 1972; L'Ancien Testament, Paris 1975.

2. S. die *Revue Biblique,* publiée par l'Ecole Pratique d'Études Bibliques, établie au couvent dominicain Saint-Etienne à Jérusalem (Paris).

3. S. die Zeitschrift *Biblica.*

4. S. unter vielen anderen die Zeitschrift der Jesuiten *Recherches de science religieuse* u. die Reihe *Le Point Théologique.*

5. S. die Zeitschrift *Sémiotique et Bible.*

6. S. die Reihe *Orbis Biblicus et Orientalis* (Fribourg und Göttingen).

7. S. die Zeitschrift *Revue d'Histoire et de Philosophie religieuses* (Paris).

8. S. die Zeitschrift *Revue théologique de Louvain.*

9. S. die Reihe *Recherches, théologie,* in dieser Reihe z. B. *O. Genest:* Le Christ der la Passion, Perspective structurale. Analyse de Marc 14,53–15,47, des parallèles bibliques et extra-bibliques, Montréal und Paris 1978.

Semiotik; *Genf, Lausanne* und *Neuenburg* mit ihrer der Kirche verbundenen Exegese und ihrem Interesse für die neutestamentlichen Apokryphen[10].

Diesen zahlreichen Stellen[11] muß man die Bibelarbeit hinzufügen, die aus der Praxis herauswächst und oft der wissenschaftlichen Exegese kritisch gegenübersteht. Sie hat sich in letzter Zeit in fünf Richtungen entwickelt:

1. Durch das *französische katholische Bibelwerk* werden von sehr begabten Pädagogen die Ergebnisse der vom Protestantismus geprägten historisch-kritischen Methode allgemein verständlich gemacht (Lire la Bible; Cahiers Evangiles; Le Monde de la Bible)[12].

2. Durch politische Theologen wird eine sogenannte materialistische Exegese betrieben; mit aufklärerischen Akzenten wollen Leute wie Belo und Clévenot die Bibel von der ideologischen Gefangenschaft der Kirche und Jesus von der Entfremdung durch die Evangelisten befreien[13]. Damit verbunden und von vielen anerkannt ist die Wiederentdeckung der Volksreligion (religion populaire) in der Vergangenheit und in der Gegenwart.

3. Durch Bibelgruppen an den Universitäten, zahlreiche neue Publikationen und größere finanzielle Mittel hat sich in der Schweiz und in Frankreich wie in ganz Europa ein fundamentalistisches Bibelverständnis bis weit in die theologische Studentenschaft verbreitet[14].

4. Durch die kleineren Gruppen der protestantischen Organisation ›Les Equipes Bibliques‹ wird in Frankreich die semiotische Arbeit durchgeführt[15]: Hier hofft man, das Interesse der Laien an der Lektüre der Bibel neu zu wecken, mit der Absicht, die Bibel wieder dem Volk Gottes in die Hand zu geben. Dem historisch-kritischen Exegeten wird vorläufig der Abschied gegeben, da – so hofft man – viel vom Sinn der Bibel ohne den historischen Umweg erreichbar ist. Davon wird später noch die Rede sein, ebenso wie von

5. der in der ganzen Schweiz jetzt beliebten integralen Bibelarbeit, einer Methode, die den ganzen Menschen bis in seinen Körper hinein zu erreichen versucht[16].

---

10. S. die im Jahre 1868 begründete Zeitschrift *Revue de Théologie et de Philosophie* (Lausanne); über die Apokryphen s. *F. Bovon et alii:* Les Actes apocryphes des Apôtres. Christianisme et Monde paien (Publications de la Faculté de Théologie de Genève, 4), Genève 1981.

11. S. a. die in Montpellier erscheinende Zeitschrift *Études théologiques et religieuses.*

12. Als Beispiel für die Reihen *Lire la Bible* und *Cahiers Évangile* s. *J. M. Asurmendi:* Le prophète Ezéchiel (Cahiers Evangile, 38), Paris 1981. Die Zeitschrift *Le Monde de la Bible* wird ebenfalls in Paris veröffentlicht.

13. S. *F. Belo:* Lecture matérialiste de l'Évangile de Marc, Paris 1974 (dt.: Das Markus-Evangelium materialistisch gelesen, Stuttgart 1980); *M. Clevenot:* Approches matérialistes de la Bible (Attention), Paris 1976 (dt.: So kennen wir die Bibel nicht, München 1978).

14. S. die von Theologiestudenten geführte Zeitschrift *Hokhma.* Revue de réflexion théologique (Lausanne), die allerdings mehr konservativ als fundamentalistisch ist.

15. S. die *Cahiers Bibliques* (Paris).

16. S. die in Verbindung mit der deutschen Schweiz geschriebenen Bände von *A. Steiner* und *V. Weymann,* z. B. Miracles de Jésus, Lausanne 1978 (dt.: Wunder Jesu, Köln 1978).

So scheint – auf den ersten Blick – ein Graben zu liegen zwischen der wissenschaftlichen Arbeit in den Fakultäten und den praktischen Versuchen in den Gruppen, die sich von den offiziellen Kirchen oft absichtlich distanzieren. Aber bei näherem Zusehen ist der Graben vielleicht doch nicht so groß, da in unseren Gebieten alle Christen eine Minderheit in der Gesellschaft geworden sind und alle mit der Frage des Überlebens des Christentums beschäftigt sind. Typisch ist der Erfolg eines von einem berühmten Historiker, Jean Delumeau, geschriebenen Buches: Le christianisme va-t-il mourir?[17]. Die soziologische Basis für Bibelwissenschaft ist im Wanken: Das ist vielleicht für die Wissenschaftlichkeit der Exegese ein Manko, aber andererseits für die Verbindung von Exegese und Glaube ein Gewinn; Barths Motto im 2. Vorwort des Römerbriefes, die Exegeten sollten kritischer sein als die historische Kritik, begleitet uns ständig. Es ist bezeichnend, daß die Bücher von X. Léon-Dufour[18] wie die Kommentare von Pierre Bonnard[19] gleichzeitig wissenschaftlich und allgemeinverständlich sind oder daß Pierre Prigent parallel zwei Kommentare der Johannesoffenbarung veröffentlicht, ein wissenschaftliches Werk und einen Kommentar für ein breiteres Publikum[20].

Wenn wir zum Inhalt der neutestamentlichen Wissenschaft kommen, treffen wir eine »Dissemination« an (um einen Begriff der heutigen französischen Philosophie zu gebrauchen). Die Art Consensus, die sich unter dem Einfluß von O. Cullmann zwischen evangelischen und katholischen Theologen nach dem Zweiten Vatikanischen Konzil installiert hatte, ist zerbrochen. Jetzt herrschen die »Unterschiede«. Die Auferstehung ist vor zehn Jahren Thema heftiger Debatten geworden. Heute ist das Verständnis von Offenbarung für Ricœur[21] und Levinas[22], d. h. für die Philosophie, das von Sühne für R. Girard[23], d. h. für die Sozialwissenschaften, Quelle von Infragestellungen, die imposante dogmatische Gebäude erschüttern. Nicht nur von der Soziologie des Urchristentums her sind die Unterschiede in der Botschaft des Neuen Testaments sichtbar geworden: Die Bischofskonferenz Frankreichs hat sich nicht gescheut, die manchmal ungemütlichen Exegeten über ein so heikles Thema wie das des Amtes zu befragen. Das Ergebnis war ein provozierendes

---

17. *J. Delumeau:* Le christianisme va-t-il mourir? (Hachette Essais), Paris 1977.

18. Jüngstes Werk von *X. Leon-Dufour:* Le partage du pain eucharistique (Parole de Dieu), Paris 1982.

19. *P. Bonnard:* L'évangile selon saint Matthieu (Commentaire du NT, 1) Genève 1982².

20. *P. Prigent:* L'Apocalypse de saint Jean (Commentaire du NT, 14), Paris 1981; allgemeinverständlich: *P. Pringent:* »Et le Ciel s'ouvrit«. Apocalypse de saint Jean (Lire la Bible, 51), Paris 1980.

21. S. *P. Ricœur, E. Levinas, E. Haulotte, E. Cornelis und C. Geffre:* La Révélation (Publication des Facultés Universitaires Saint-Louis, 7), Bruxelles 1977; s. a. die hermeneutischen Beiträge von P. Ricœur in *Exegesis. Problèmes de méthode et exercices de lecture (Genèse 22 et Luc 15),* hg. von F. Bovon und G. Rouiller, Neuchâtel und Paris 1975.

22. Außer dem in Anm. 21 angegebenen Beitrag s. z. B. *E. Levinas:* Du Sacré au Saint: cinq nouvelles lectures talmudiques (Critique), Paris 1977.

23. *R. Girard:* Le bouc émissaire, Paris 1982.

Buch über die Ämter im Neuen Testament, dessen größter Teil eben die Unterschiede von einer Schrift des NT zur andern unmißverständlich aufzeigt. Merkwürdigerweise bleibt das Johannesevangelium[24] wie ein sicherer Pfeiler; zum mindesten gilt dies für ein besonderes Verständnis des vierten Evangeliums in der katholischen Exegese: nämlich als Aktualisierung des AT, bestimmt durch den Einfluß jüdischer Quellen, wie es Arbeiten von F.-M. Braun, A. Feuillet, M. E. Boismard, A. Jaubert und kürzlich I. de la Potterie zu zeigen versucht haben.

Leider viel zuwenig erforscht ist das Werk von Paulus[25]; die Arbeiten von Leenhardt und Lyonnet sind jetzt veraltet, und ich habe manchmal den Eindruck, daß evangelische und katholische Exegeten sich vor allem bemüht haben, ein von allen akzeptables Bild des Paulus zu zeichnen. Die Anmerkungen der ökumenischen Bibelübersetzung zeigen keine konfessionelle Diskordanz mehr. Ist es auf das Konto des Paulus selbst zu schreiben? Ich kenne die Arbeit der Tagungen von S. Paolo fuori le Mura in Rom zuwenig, um zu wissen, ob mein Verdacht gerechtfertigt ist; aber typisch ist wieder das Bemühen, Paulus ökumenisch zu verstehen.

Während die Evangelienforschung ziemlich lebendig ist, die matthäische in der Schweiz von P. Bonnard und seinen Schülern[26] (in Zusammenarbeit mit E. Schweizer und U. Luz) vorangetrieben, die lukanische[27] von J. Dupont und bis zu seinem Tode von A. George, macht sich das Fehlen einer Theologie des Neuen Testaments sehr stark bemerkbar.

Im zweiten Teil dieses Beitrages möchte ich kurz über zwei für mich bezeichnende Bewegungen sprechen: einerseits die semiotische Welle in Frankreich[28], andererseits die Bibelarbeit mit aktiven Methoden in der Schweiz.

---

24. *S. O. Cullmann:* Le milieu johannique. Études sur l'origine de l'évangile de Jean (Le Monde de la Bible), Neuchâtel und Paris 1976; u. besonders *A. Jaubert:* Approches de l'Évangile de Jean (Parole de Dieu), Paris 1976.

25. Außer den Werken von F. J. Leenhardt und S. Lyonnet s. *P. Grelot:* Péché originel et rédemption à partir de l'epître aux Romains. Essai théologique, Paris 1973; als Beispiel für Beiträge der jährlichen Tagung in der Abtei S. Paulo fuori le Mure in Rom *L. de Lorenzi (Hg.):* Paul de Tarse, apôtre de notre temps (Série monographique de Benedicta, section paulinienne, 1), Rome 1979.

26. *P. Bonnard:* L'évangile selon saint Matthieu (Commentaire NT, 1), Genève 1982² (vgl. Anm. 19); *J. Zumstein:* La condition du croyant dans l'évangile selon Matthieu (Orbis Biblicus et Orientalis, 16), Fribourg und Göttingen 1977; *D. Marguerat:* Le jugement dans l'Evangile de Matthieu (Le Monde de la Bible), Genève 1981.

27. *J. Dupont:* Études sur les Actes des apôtres (Lectio divina, 45), Paris 1967; *A. George:* Études sur l'œuvre de Luc (Sources Bibliques), Paris 1978; *F. Bovon:* Luc le Théologien. Vingt-cinq ans de recherches (1950–1975), Neuchâtel und Paris 1978.

28. Außer der schon erwähnten Zeitschrift *Sémiotique et Bible* (s. Anm. 5) s. *Groupe d'Entrevernes,* Signes et paraboles. Sémiotique et texte évangélique, Paris 1977 (dt.: *Zeichen und Gleichnisse.* Evangelientext und semiotische Forschung, für die Gruppe von Entrevernes hg. v. J. Delorme, Düsseldorf 1979); *Groupe d'Entrevernes,* Analyse sémiotique. Introduction –

Beeinflußt von der synchronistischen Linguistik, die mit dem Namen des Genfers de Saussure verbunden ist, und der strukturalen Ethnologie von Lévy-Strauss hat sich in Frankreich unter der Leitung von J. Greimas eine immer feinere Semiotik der literarischen Texte entwickelt. In einem gewissen Sinn wird die Verbindung mit der Aufklärung über das 19. Jh. spürbar, denn den Zugang zur Wahrheit hofft man nicht mehr durch die Geschichte, sondern durch die Sprache zu finden.

Nach dem Programm dieser Schule sucht man eigentlich nicht die Wahrheit, nicht einmal den Sinn, sondern das System, das den Sinn gibt: »Nicht was dieser Text sagt, nicht wer diesen Text spricht; sondern *wie* dieser Text das sagt, was er sagt.« In der Praxis schauen freilich die Semiotiker nicht nur, *wie* der Text verläuft, sondern auch, wenn man so will, auf die Bedeutung, die er hat; schon weil eine Grammatik ohne gesprochene oder geschriebene Aussagen undenkbar ist.

Wenn es so ist, teilen die Semiotiker mit den Philologen und den Historikern das Ziel der Objektivität, die Tugend der Akribie und die Ehrfurcht vor der Distanz zwischen dem Text und uns. Nur suchen sie weniger die Logik des Satzes als die Logik der ganzen Erzählung. Vorausgesetzt ist nicht, daß alle Reden und alle Geschichten das gleiche sagen, sondern daß alle Menschen, wenn sie sprechen, den Gesetzen nicht nur der Sprache, sondern auch der narrativen Grammatik folgen.

Wenn man die Methode von Greimas verfolgt, kommt nach der Analyse der Entwicklung der Erzählung eine Prüfung ihrer metaphorischen Elemente. Wenn wir diese symbolische Welt, die die Semiotiker dann zum Vorschein bringen, sehen, werden wir sofort an die patristische Exegese und an den Reichtum der Allegorese erinnert. Es ist sicher richtig, diese Fülle von Sinnpotentialität nicht einzudämmen, aber ich frage mich, ob die historische Betrachtung nicht imstande wäre, die Grenzlinien des Erlaubten zu ziehen, je nach der Verständnisfähigkeit einer Epoche und eines geographischen Raumes.

Als dritte Phase der Analyse kommt die Frage nach dem Erzähler und dem Leser; aber diese Etappe bleibt streng innertextlich, d. h., sie fragt, wie der Schriftsteller im Text (explizit oder implizit) zum Vorschein kommt und wie er den Leser selbst in den Text hineinstellt. Dabei wird meines Erachtens eine von Carnap und Morris eingeführte Komponente der Semiotik vergessen: die Pragmatik, d. h. der praktische Prozeß von Kommunikation und Rezeption. Auch hier würde ich die Hilfe der historischen Betrachtung noch einbeziehen. Daß man ohne die Pragmatik nicht auskommt, zeigt sich am besten in der Gleichnisanalyse (allerdings versucht die letzte Arbeit – ein interdisziplinäres Werk über Joh 11, das von belgischen Gelehrten verfaßt worden ist – mit Recht die Semiotik und die historisch-kritische Methode zu verbinden).

Was die schweizerischen Stellen für evangelische Erwachsenenbildung, besonders ›Evangile et Culture‹, unternehmen, ist etwas ganz anderes. Das Ziel ihrer Be-

---

Théorie – Pratique, Lyon 1979; *A. Gueuret*: L'engendrement d'un récit. L'Evangile de l'enfance selon Luc (Lectio Divina, 113), Paris 1983.

strebungen ist, die ganze Person im Verlauf der Interpretation zu integrieren und den Leser in den Kreis mitmenschlicher Verbindungen zu stellen. Was hier angestrebt wird, ist sowohl ein intellektuelles wie auch ein individualistisches Bibelverständnis.

Drei Phasen sind klar zu unterscheiden. Erstens soll uns unser Vorverständnis des Textes bewußt werden. Durch aktive Methoden soll jeder Teilnehmer dazu geführt werden, ohne schlechtes Gewissen aussagen zu können, was ihm durch seine Erziehung oder seine kirchliche Tradition von Anfang an gegeben ist.

Als zweites folgt eine Phase der Textanalyse. Nachdem der Leser ernst genommen wurde, wird jetzt der Text in seiner Fremdheit mit Aufmerksamkeit untersucht. Freilich sind die Verantwortlichen exegetisch gut informiert, aber dieses Wissen wird nicht direkt vorgetragen. Noch einmal erlauben aktive Übungen (eine besondere Art von Rollenspiel) dem Teilnehmer, wahrzunehmen, worum es geht. Wie wichtig die verschiedenen Gattungen der neutestamentlichen Texte sind, wird zuerst durch Tonbandaufnahmen heutiger Kommunikationen (Nachrichten im Radio, Sketch, Gespräch, Brief, Witz usw.) bewußtgemacht.

Das Verheißungsvolle an dieser Bibelarbeit, die durch neuere Versuche den Nachteil einer einzigen Methode vermeiden will, ist die Verbindung vom zweiten zum dritten Schritt: Ziel ist die appropriatio, und ein Mittel dazu ist z. B. l'expression corporelle (die durch den Körper vollzogene, nichtverbale Kommunikation). Ich erinnere mich an eine Tagung über Lk 9,57–62, wo wir zu verstehen hatten, was Nachfolge heißt. Ich muß sagen, daß die freie körperliche Ausdrucksweise mir zum Verständnis des Wortes »folgen« mehr geholfen hat als mehrere Aufsätze und Lexikonartikel. Wir konnten leicht unterscheiden zwischen einem kindlichen Folgen (sorglose, aber sklavische Nachahmung) und einem reifen, freien akolouthein. Freilich wird dadurch die Kommunikation des Evangeliums noch nicht gesichert, aber menschliche Analogien mit den Leben der ersten Christen können so gezogen werden. Gemeinschaft und Verbundenheit mit Gott können so entstehen.

Was ich mit diesen Ausführungen sagen wollte, könnte in zwei Thesen zusammengefaßt werden:

1. Die Botschaft der Bibel ist glücklicherweise nicht mehr ideologisches Verhängnis. Unsere Aufgabe ist seit langem nicht mehr die Befreiung aus einem christlichen Gefängnis. Was viele wünschen, ist viel eher eine neue Begegnung mit dem jetzt verborgenen Gott, dessen Spuren wir in dem biblischen Text erhoffen und glauben.

2. Der heutige Pluralismus und die jetzige Toleranz sind nicht Früchte des christlichen Glaubens; wenn wir Bibelwissenschaft treiben, ist das nicht ein Gegenangriff auf die heutige Säkularisation, um selber wieder eine feste Position zu besetzen, sondern vielmehr das Bemühen, den Christen und den Menschen überhaupt aus der Indifferenz zu befreien und vor jedem neuen Fanatismus zu warnen.

4. Theologische Auslegung im angelsächsischen Bereich* Robert Morgan

Die Frage der theologischen Auslegung oder der theologischen Exegese scheint in der englischen Forschung keine große Rolle zu spielen, mindestens nicht explizit. Sie scheint nicht das gleiche brennende, aktuelle Interesse zu wecken, das sie in Deutschland für sich in Anspruch nimmt.

Das ist vielleicht überraschend, spielt doch die Bibel eine zentrale Rolle im Leben unserer Kirche. Wäre es aber dann nicht zu erwarten, daß ihre theologische Auslegung eben deswegen ein zentrales Anliegen ist? Die biblische Auslegung durch die Predigt steht heutzutage bei uns wohl weniger im Mittelpunkt als in den protestantischen Kirchen auf dem Kontinent. Auch ist die Aufnahme der neueren Bibelkritik in der englischen Theologie und Kirche eine andere gewesen als im deutschen Protestantismus[1].

Im 19. Jahrhundert waren Oxford und Cambridge christliche Lehrinstitutionen, die dem Unterricht gewidmet waren. Obwohl dort auch einige bedeutende Gelehrte wirkten, war ihre eigentliche Aufgabe nicht die Forschung als solche, sondern die Ausbildung einer Elite für den Dienst in Kirche und Staat. Und das wurde eben nicht mit einer streng theologischen Ausbildung erreicht, sondern durch eine allgemeine, klassische (und in Cambridge auch mathematische) Erziehung, die in einem christlichen Kontext durchgeführt wurde.

Man mußte als Pfarrer in der Schrift und im Gebetbuch Bescheid wissen und von ihnen geformt werden, aber man brauchte nicht so weit dogmatisch geschult zu sein, daß man die Schrift schöpferisch-theologisch auslegen konnte.

Eine Kirche, die nicht durch den konfessionellen Gegensatz geplagt wurde, wußte sich einer Schultheologie kaum verpflichtet. Ein christliches Ethos, ein starkes kirchliches Bewußtsein, eine solide Gemeindeordnung und liturgische Gleichförmigkeit genügten, um die Einheit zu gewährleisten.

Aber damit fehlte gerade der Schlüsselfaktor für die Entwicklung der neutestamentlichen Theologie im deutschen Sinn, nämlich das trotz aller Spannung bestehende, enge Verhältnis zwischen Schriftauslegung und Systematischer Theologie.

Es fehlte dabei auch die Provokation der rationalistischen Kritik. Bischof Butler hatte im 18. Jahrhundert auf die Deisten geantwortet; im 19. Jahrhundert hatte eine Art informelle kirchliche Kontrolle die neuere Philosophie und die skeptische Theologie nicht in unsere christlichen Universitäten eindringen lassen. (Toleranz und Freiheit waren in jener Zeit nicht eben anglikanische Tugenden!)

---

* Vortrag am 29. September 1981.
1. Vgl. *Daniel L. Pals:* The Victorian ›Lives‹ of Jesus, San Antonio/Texas 1982.

D. Fr. Strauß und L. Feuerbach wurden zwar übersetzt, aber außerhalb von Kirche und Universität; so ist beispielsweise die Übersetzerin von »Das Leben Jesu« und »Das Wesen des Christentums« eine Nichttheologin, die berühmte Schriftstellerin George Eliot.

Die sogenannte ›höhere Kritik‹ wurde erst allmählich gegen Ende des 19. Jahrhunderts von der Universitätstheologie absorbiert. Sogar die neue Offenheit gegenüber der deutschen Forschung in den Jahren vor dem Ersten Weltkrieg war selektiv. Man konnte die Leben-Jesu-Bewegung gut verstehen. Die radikalen Tendenzen der Religionsgeschichtlichen Schule dagegen wurden in dieser Zeit kaum aufgenommen.

Mit diesem Hinweis will ich zeigen, welch bescheidene Rolle die moderne liberale Theologie in unserer neutestamentlichen Wissenschaft gespielt hat. Das theologische Denken konzentrierte sich auf andere Bereiche. Die Fäden zwischen Glaube und Vernunft wurden viel mehr durch die Religionsphilosophie geknüpft als durch eine Systematische Theologie, in der die Bibelwissenschaft eine treibende Kraft hätte sein können.

Wegen des Charakters unserer Universitäten und unserer Kirche haben wir eine solche Beziehung zwischen Bibelwissenschaft und Systematischer Theologie nie gekannt. So vollzog sich die gegenseitige Beeinflussung von radikaler Evangelienkritik und Christologie oder von Paulus-Exegese und Luther-Forschung beispielsweise nie in derselben Tiefe wie in Deutschland. Unsere Ausbildung erfolgte in der klassischen, nicht in der neueren Philosophie und Systematik.

So wurde unsere spät aufgekommene neutestamentliche Wissenschaft von Altphilologen und Althistorikern betrieben, die weniger in der modernen Theologie versiert waren. Dies ist in gewissem Maße bis heute der Fall. Damit hängt zusammen, daß bei uns die Neutestamentler gerade nicht die Vorhut der Theologie gewesen sind. Sie haben vielmehr eine apologetische und konservative Rolle gespielt. Ihre Forschung ist viel weniger als in Deutschland die treibende Kraft innerhalb der Theologie gewesen. Gesicherte Ergebnisse der historisch-kritischen Forschung wurden erst allmählich assimiliert. Die intellektuellen Grundlagen der englischen Kirche wurden nicht sehr intensiv von der theologischen Schriftauslegung befruchtet. Das progressive theologische Denken konzentrierte sich vielmehr auf andere Bereiche.

Inwieweit das ein Nachteil ist, wäre wohl zu fragen. Ist es nicht das Normale in der Kirchengeschichte gewesen, daß die Schriftauslegung Bestehendes bestätigt? Bei allem Respekt vor dem Unruhe stiftenden Element, das unsere rationalistisch geprägte Disziplin so stark betont hat, ist doch zu untersuchen, ob wir Neutestamentler nicht einseitig gewesen sind. Die konservative Rolle der Schriftauslegung, so wie man sie in der älteren englischen Tradition sieht, ist m. E. nicht zu verachten.

Vor diesem Hintergrund erklärt sich auch der Charakter unserer englischen Apologetik, wie diese sich aus der Exegese ergibt. Sie ist eine geschichtliche Wissenschaft gewesen – dabei hat »geschichtlich« eine positive Bedeutung – und hat als

Stütze des Glaubens gewirkt, also nicht nur im Sinne der Aufklärung kritisiert. Eben deswegen hat man den Skeptizismus in der Evangelienforschung so heftig bekämpft. Die starke Reaktion gegen eine solche Apologetik im Deutschland der zwanziger Jahre hat uns kaum berührt. Auch wenn die sogenannte »Biblische Theologie« in der angelsächsischen Welt gegen die Gottlosigkeit der liberalen Geschichtsforschung antrat, so hat sie doch eine Art historischer Apologetik beibehalten. Die typisch deutsche Dialektik der Bewegung zwischen negativer historischer Kritik und Religionsphilosophie oder Dogmatik, die man in ganz verschiedenen Formen schon bei D. Fr. Strauß und F. C. Baur, dann wohl auch bei M. Kähler findet, kam in England selten vor. Daß die historische Kritik ein negatives Moment innerhalb einer konstruktiven theologischen Exegese sein könnte, hat uns nicht eingeleuchtet.

Der Hauptgrund ist auch hier das Fehlen eines inneren Verhältnisses zwischen Exegese und moderner Theologie – ob idealistisch-geschichtsphilosophisch geprägt oder dialektisch-neureformatorisch – gewesen.

Darum hat auch die Paulus-Forschung nie die Schlüsselrolle in der englischen Schriftauslegung gespielt, die ihr in Deutschland zukam. Theologische Auseinandersetzungen haben sich immer an der Evangelienforschung entzündet, oftmals an der Frage nach den Implikationen der historischen Kritik für den Inkarnationsglauben.

Die Sachfrage, die sich aus diesem Tatbestand ergibt, wäre: Kommt der Geschichtsforschung nicht doch irgendeine positive Rolle in der Theologie zu, womit allerdings die metaphysische Frage des Verhältnisses zwischen Gott und Geschichte wieder auftaucht.

Mein Hinweis auf den weiter zurückliegenden Hintergrund läßt auch die Aporien der gegenwärtigen englischen Lage besser hervortreten. So spiegelte sich auch in der Theologie die schnell wechselnde kulturelle Szene der 60er Jahre dieses Jahrhunderts wider. Ein gewisser Wandel in der neutestamentlichen Lehre ließ sich bemerken, durch den unsere Disziplin endlich ein internationales und interkonfessionelles Unterfangen wurde. Die älteren klassischen Werke von Wrede, Joh. Weiss, Bousset, Bultmann, W. Bauer und viele neuere Arbeiten wurden endlich übersetzt und in die Breite gehend diskutiert. Damit war die ältere englische Apologetik für viele von uns erschüttert. Diese neue Lage zeigte sich vor drei Jahren in unserem Inkarnationsstreit – in dem man sich nicht mehr auf die Geschichte berief.

Das Problem stellt sich jetzt so dar: Nach fast hundert Jahren einer behutsamen Rezeption der historischen Kritik sind die radikalen Tendenzen dieser Bewegung zum Sieg gekommen – zumindest an der Universität. Aber unsere Theologie hat keine haltbare Partnerschaft zwischen radikaler historischer Kritik und Systematischer Theologie entwickelt – wie es z. B. die Verbindung zwischen traditionsgeschichtlicher Arbeit und kerygmatischer Theologie in Deutschland gewesen ist.

Dieser Mangel führt nun wieder zu einer neutestamentlichen Wissenschaft, die theologisch wenig zu sagen hat. Und das bringt die Gefahr mit sich, daß sie von den neueren religiösen Bewegungen völlig ignoriert wird.

Nun ist die Lage jedoch nicht aussichtslos. Die Hauptfrage für eine heutige theologische Schriftauslegung ist, was für eine Theologie überhaupt zeitgemäß sein könnte. Wenn die christliche Lehrtradition ihre Selbstverständlichkeit verloren hat, dann muß die Schriftauslegung zu den Quellen des religiösen Lebens selbst zurückkehren. Wenn selbst die Dogmatik einen Verlust an Glaubwürdigkeit erlitten hat, leuchtet die enge Verwandtschaft zwischen neutestamentlicher und Systematischer Theologie nicht mehr ein. Dann erscheinen andere Möglichkeiten als aussichtsreicher, und in diesem Zusammenhang scheinen nun Tendenzen in der gegenwärtigen amerikanischen Theologie bedeutungsvoll zu sein.

Um diese überscharf zu kennzeichnen, könnte man sagen: Das Verhältnis der neutestamentlichen Theologie zur Systematischen Theologie wird gelöst; dafür sind neue Verbindungen zur Religion festzustellen.

Unser Tagungshinweis auf die Aufklärung schlägt die Möglichkeit vor, das Thema »Religion und Religionswissenschaft« wieder aufzunehmen, um Partner für die neutestamentliche Forschung zu finden. In dieser Perspektive würde ich die neueren religionssoziologischen Versuche und auch die mehr literarkritischen Annäherungen an den Text sehen, die beide allerdings einige Wurzeln auch in der klassischen Formgeschichte haben.

Nun bedeutet dies keineswegs, daß die Geschichtsforschung unterschätzt wird. Im Gegenteil: Religions- und Traditionsgeschichte bilden die Grundlage dieser neuen religionswissenschaftlichen Exegese. Nur wird diese Grundlage dadurch erweitert, daß neuere Entwicklungen der Religionswissenschaft selbst mit einbezogen werden. Was die theologischen Möglichkeiten dieser Entwicklung angeht, so ist theologisches Interesse keine notwendige Motivationsvoraussetzung; doch kann man ein solches Interesse haben. Genauso verhält es sich ja beim Verhältnis zwischen Gottesglauben und historischer Forschung.

Man könnte schon für das 19. Jahrhundert von einer Säkularisierung der neutestamentlichen Wissenschaft sprechen, die mit der Rezeption der allgemeinen wissenschaftlichen Methoden einsetzte. Damals hat aber die persönliche Überzeugung der Wissenschaftler und ihre institutionelle Eingebundenheit in die kirchlich orientierten Fakultäten die theologischen Interessen und Zwecke der theologischen Arbeit aufrechterhalten. Dies gilt bis heute für viele Exegeten.

Nur hat ein neuer Faktor, nämlich die Institutionalisierung der neutestamentlichen Forschung auch außerhalb der theologischen Fakultäten, zu einer radikaleren, sagen wir, zu einer akuten Säkularisierung unserer Disziplin geführt. Wenn die neutestamentliche Forschung jetzt zur religionswissenschaftlichen Abteilung gehört, sind ihre Partner nicht mehr die Systematik und die Metaphysik, und auf der Studentenebene kaum mehr die Altertumswissenschaften, sondern die Literatur- und Sozialwissenschaften, also die Humanwissenschaften. Und gerade diese neue Partnerschaft bietet Gelegenheiten für theologische Aufklärung an, weil sie ein breiteres Verständnis der Sache vorbereitet.

Dies geschieht nicht nur deskriptiv durch die geschichtlichen und soziologischen Arbeiten, die vielmehr auch darüber hinausgehend zu metaphysischen Fragen führen können, die einen Ausgangspunkt für eine christlich bestimmte Weltanschauung bieten.

In diesem Kontext würde ich auch den Ort der neueren literarkritischen Ansätze innerhalb unserer Disziplin bestimmen. Freilich sind die Möglichkeiten weit geringer als im alttestamentlichen Fach, wo man eine viel reichere Literatur vor sich hat. Kontakte mit der Formgeschichte, etwa in der Gattungsforschung, sind auch hier wahrzunehmen, und es liegt auf der Hand, daß eine Art literarkritischer Fragestellung aus der Redaktionskritik entsteht, wenn man sich um den Text als Ganzes müht. Auch ist hier zu sagen, daß »literarkritische Ansätze« eine Vielfalt von Arbeiten meint, die dem chaotischen Zustand der Literarkritik selbst entspricht.

In der Exegese kann man jetzt verschiedene neue Richtungen wahrnehmen – Schriftauslegung in den Kategorien verschiedener Philosophien und Weltanschauungen, z. B. Prozeßtheologie, marxistische Interpretation, psychoanalytisch fundierte Exegese. Dies ist prinzipiell berechtigt, um die menschliche Wirklichkeit mit der Sache der Schrift zu konfrontieren. Nur wird es dann um so wichtiger, die historischen Disziplinen zu bewahren, wegen der wachsenden Gefahr, diese alten Schriften modisch willkürlich auszulegen.

Natürlich darf jeder die Schrift lesen, wie er will. Nur um der Kommunikationsfähigkeit willen braucht man allgemeingültige Methoden, also Regeln und Kontrollen für die Auslegung – und eben dies bietet wohl die historisch-kritische Methode.

Unter den literarkritischen Ansätzen sind nun die strukturalistischen Versuche zu erwähnen, die in Amerika eine freundlichere Aufnahme gefunden haben als in Deutschland oder England. Ich selbst sehe nicht, daß sie theologisch viel zu sagen hätten, zumindest bis jetzt. Es ist jedoch wertvoll, daß das, was in Nachbardisziplinen entwickelt worden ist, auch in unserem Bereich ausprobiert wird. Ferner dient diese Methodik in gewisser Weise dazu, die Umklammerung durch die historische Forschung zu schwächen; pädagogisch kann man zudem zu ihren Gunsten, wie zugunsten aller historisch-kritischen Arbeit, sagen, daß sie dazu ermuntert, die Schrift unter die Lupe zu nehmen.

Aber: Was ich für das Wertvollste in diesen literarkritischen Ansätzen halte, liegt auf einer anderen Ebene. Man denke an die breite humanistische Vision von Amos Wilder und seinem Schüler William Beardslee, die die amerikanische Bibelwissenschaft so stark beeinflußt haben. Während die Geschichts- und Sozialwissenschaften das Urchristentum von außen beschreiben, geht es hier um einen intuitiven Zugang zu den Texten, also um einen Versuch, die Sache der biblischen Botschaft besser zu verstehen. Auch hier stellt »die Religion« einen Forschungsbereich mit selbständiger Grundlage und eigenen Kategorien dar, in dem Christen und Nichtchristen (auch Juden) dieselben Texte studieren können, ohne daß der göttliche Wirklichkeitsbezug akzeptiert oder negiert wird.

Beide Tendenzen, die reduktive und die gläubige, wirken im neuen Milieu der nachchristlichen Universität unpassend. Aber solange es in der Theologie um das Humanum geht, dürfte eine humanistische Religionswissenschaft noch Möglichkeiten theologischer Aufklärung enthalten. Sowohl bei der soziologischen Forschung als auch in der Literarkritik wird das humane Phänomen – um das es in der Universität geht – beleuchtet.

Unsere eigene Disziplin ist ebenso der Renaissance wie der Reformation verpflichtet; daraus ergeben sich die angesprochenen Entwicklungsmöglichkeiten. Dabei darf man anmerken, daß der Wert der obengenannten Disziplinen für die Theologie davon abhängt, daß sie allgemeinverständlich bleiben. Tendenzen, die in Richtung einer neuen Scholastik weisen, sind deshalb zu bedauern.

Hinter diesen beiden Richtungen steht nun etwas Grundsätzliches, das anfängt, in der angelsächsischen Forschung immer wichtiger zu werden: die philosophische Frage nach der Natur der Sprache und ihren religiösen Funktionen. Aus unserer analytisch-philosophischen Tradition heraus war das durchaus zu erwarten. Für die Theologie war die englische Philosophie immer ein nutzloser Partner, aber jetzt gewinnt sie innerhalb des Rahmens der Religionswissenschaft doch eine Bedeutung und fängt an, auch die neutestamentliche Wissenschaft zu befruchten; man denke z. B. an die neuere philosophische und literarkritische Diskussion über die Metapher, die auch die Gleichnisforschung gefördert hat. Hierbei ist auch an die Bedeutung Paul Ricœurs für die amerikanische Bibelwissenschaft zu denken.

Der wichtigste Gewinn dieser Entwicklung ist, daß die Diskussion um die Schrift wieder im Rahmen des breiten, intellektuellen Lebens unserer Kultur zu finden ist, anstatt auf kirchlich-theologische Kreise beschränkt zu werden.

Wie dies die Lage verändern kann, zeigt nun der Mythosbegriff, in dessen Reflexion die jetzige Bibelwissenschaft an eine breitere Debatte anschließt, an der auch die Anthropologen, Sozialpsychologen, Literaturkritiker und Philosophen teilnehmen. Es gilt zu fragen, inwiefern die Christenheit Mythen braucht, und zu sehen, wie diese funktionieren. Die Frage ist durchaus offen, welchen Wirklichkeitsbezug sie haben können.

Auch innerhalb der Hermeneutik hat die Partnerschaft mit der analytischen Philosophie schon ihren Wert gezeigt. Anthony Thiselton hat anhand des in Wien geborenen und in Cambridge zu Ruhm gekommenen Philosophen Ludwig Wittgenstein nachgewiesen, welche Aufklärung von der »philosophischen Beschreibung« ausgehen kann[2].

Bei all dem könnte man fragen, ob eine solche Rezeptionsbereitschaft nicht doch ziemlich unkritisch ist. Mit diesem Einwand komme ich auf meinen ersten Gesichtspunkt zurück. Es ging um das Verhältnis zwischen dem negativ-kritischen Impuls in der Theologie, an den man bei »Aufklärung« vor allem denkt, und dem positiv-konstruktiven Moment, um das es in der Schriftauslegung eigentlich geht.

Ich halte »die Religion« für einen Rahmen, in dem unser wissenschaftliches Bemühen und die theologische Aneignung zusammenkommen können. Der theologische Exeget wirkt als Katalysator, um Reaktionen auszulösen. Dies genau tut er, wenn er die biblische Symbolwelt so interpretiert, daß sie auch eine moderne Erfahrung erhellt. Nur muß man dann auch die andere Seite akzentuieren und die

---

2. The Two Horizons, Exeter 1980.

Schrift in ihrer Andersartigkeit erfassen, woraus sich Konsequenzen für Theologie und Kirche ergeben haben und weiterhin ergeben müssen.

Die Auslegung lebt in dieser Spannung zwischen historischer Distanz und Vergegenwärtigungsinteresse. Für mich als Engländer (bzw. Waliser), der ich am meisten von Deutschland gelernt habe, der ich aber wichtige, neue Stimmen in Amerika zu hören meine, dürfte dieses Sowohl-Als-auch nun das letzte Wort haben.

5. Was macht die neutestamentliche Wissenschaft zur Theologie?*
Günter Haufe

Diese Fragestellung[1] setzt selbstredend voraus, daß zwischen neutestamentlicher Wissenschaft und Theologie eine positive Beziehung besteht. Wir sollten uns im klaren darüber sein, daß das keine Selbstverständlichkeit ist, sondern eine Vorentscheidung beinhaltet, die uns sofort auf die mit unserem Thema gegebene dogmatisch-hermeneutische Problematik aufmerksam macht. In den gesellschaftlichen Verhältnissen, aus denen ich komme, wäre ohne weiteres eine marxistisch-atheistisch orientierte neutestamentliche Wissenschaft denkbar, die gleichfalls von einer bestimmten Vorentscheidung herkäme. Ansätze dafür sind vorhanden[2]. Wenn unser Thema eine irgendwie geartete positive Beziehung zwischen neutestamentlicher Wissenschaft und Theologie voraussetzt, so heißt das, daß wir neutestamentliche Wissenschaft letztlich im Raum der Kirche oder doch zumindest im Raum der christlichen Wirkungsgeschichte des Neuen Testaments betreiben, in den hinein selbst unsere staatlichen theologischen Fakultäten bzw. Sektionen noch gehören. Damit haben wir eine erste, wenn auch zunächst sehr allgemeine Antwort auf die Thema-Frage gefunden: *Zur Theologie in irgendeinem Sinne macht neutestamentliche Wissenschaft der spezifische Raum, in dem sie getrieben wird, nämlich der Raum der christlichen Wirkungsgeschichte des Neuen Testaments.* Wer – bei aller gebotenen Offenheit für neue Fragen und Methoden – diesen Raum nicht bejaht, bekennt sich faktisch zu einer anders gearteten Vorentscheidung, die so oder so eine positive Beziehung zwischen neutestamentlicher Wissenschaft und Theologie nicht im Blick hat bzw. direkt ausschließt.

Versucht man, diese positive Beziehung näher zu beschreiben, so stößt man alsbald auf zwei Vorfragen, von deren Klärung alles Weitere abhängt: 1. Was ist überhaupt neutestamentliche Wissenschaft? 2. Was ist überhaupt Theologie? Je nachdem, wie man das Arbeitsfeld der neutestamentlichen Wissenschaft und wie man Eigenart und Gegenstand der Theologie des näheren bestimmt, wird die weitergehende Beantwortung der Thema-Frage unterschiedlich ausfallen. Erneut rückt damit die Rolle dogmatisch-hermeneutischer Vorentscheidungen ins Blickfeld und damit der subjektiv-existentielle Faktor, der sich aus unserer wissenschaftlichen Arbeit als menschlich-geschichtliche Aufgabe nicht ausklammern läßt.

*Vortrag am 29. September 1981.
1. Eine erste Fassung dieses Vortrages wurde am 19. 6. 1979 auf der 18. Konferenz der Hochschultheologen der Ostseeländer in Oslo-Lysebu gehalten. Die Konferenz stand unter dem Generalthema: Was macht die Theologie zur Theologie?
2. Vgl. z. B. *M. Robbe:* Der Ursprung des Christentums, Leipzig, Jena und Berlin 1967; *J. Lenzmann:* Wie das Christentum entstand, Berlin 1973.

Um rasch zur Sache zu kommen, setze ich mit einer Definition des Theologiebegriffes ein, die ich jetzt nicht diskutiere, von der ich aber hoffe, daß sie zumindest in ihrer Substanz auf breite Zustimmung stößt[3]: Theologie ist methodisch geübte Reflexion über den Grund des christlichen Glaubens im Blick auf seine Vertretung inmitten gegenwärtiger Daseinserfahrung. Von dieser Definition her ergibt sich folgerichtig eine zweite Antwort auf unsere Thema-Frage: *Zur Theologie machen neutestamentliche Wissenschaft alle diejenigen Elemente, die direkt oder indirekt an der methodisch geübten Reflexion über den Grund des christlichen Glaubens Anteil haben.* Wenn ich dabei den Aspekt der »Vertretung inmitten gegenwärtiger Daseinserfahrung« weglasse, so bekenne ich mich zum historisch-theologischen Charakter der neutestamentlichen Wissenschaft, die zwar grundsätzlich von der Gegenwartsbedeutung ihrer Ergebnisse überzeugt ist, diese aber nicht unmittelbar auf gegenwärtige Daseinserfahrung bezieht. Zugleich drückt sich darin aus, daß neutestamentliche Wissenschaft Theologie nur im eingeschränkten Sinne sein kann. Beides hindert freilich nicht, daß der neutestamentlichen Wissenschaft aus gegenwärtiger Daseinserfahrung neue Fragestellungen zuwachsen können, auf die hin sie mit Hilfe ihres üblichen Instrumentariums die neutestamentlichen Texte interpretiert. Doch ist diese Art von Gegenwartsbezug methodisch sorgfältig zu unterschieden von der Vertretung exegetischer Ergebnisse »inmitten gegenwärtiger Daseinserfahrung«.

Um in der Beantwortung unserer Thema-Frage weiterzukommen, gilt es nun, die in der zweiten Antwort pauschal genannten »Elemente« der Reflexion über den Grund des christlichen Glaubens näher zu bestimmen, wobei die vorhin gleichfalls als entscheidend erkannte Frage nach dem Arbeitsfeld der neutestamentlichen Wissenschaft den notwendigen Leitfaden bilden muß.

Geht man davon aus, daß neutestamentliche Wissenschaft weithin als historisch-kritische Schriftauslegung fungiert, so ist zunächst eine negative Feststellung notwendig. Die dieser Schriftauslegung zugrundeliegende Methodik ist die seit der Aufklärung entwickelte Methodik der historisch-kritischen Forschung überhaupt. Nach der klassischen Beschreibung von Ernst *Troeltsch*[4] sind das die Prinzipien der Kritik, der Analogie und der Korrelation, deren Handhabung das Ziel hat, überlieferte Texte nach Form und Inhalt in einen wahrscheinlichen antiken Geschehenszusammenhang einzuordnen. Nicht schon diese Methodik ist es, die die neutestamentliche Wissenschaft zur Theologie macht, handelt es sich doch in keiner Weise um eine speziell durch die Eigenart der neutestamentlichen Texte bedingte, sondern um eine auf alle überlieferten Texte anwendbare Methodik. Noch mehr: Nicht einmal die unmittelbaren Ergebnisse solcher historisch-kritischen Schriftauslegung machen die neutestamentliche Wissenschaft zur Theologie, sofern es ihr

---

3. In leichter Abwandlung einer These von *W. Joest* in: Fundamentaltheologie (ThW 11), Stuttgart 1974, S. 25.

4. *E. Troeltsch:* Über historische und dogmatische Methoden in der Theologie, 1898 = Gesammelte Schriften Bd. 2, 1913, S. 729–753.

um nicht mehr als jene Einordnung der Texte in einen wahrscheinlichen antiken Geschehenszusammenhang geht. Theologisch relevant werden diese Ergebnisse erst dadurch, daß es die so interpretierten Texte nach ihrem eigenen Anspruch und nach der Überzeugung der Kirche mit dem Grund des christlichen Glaubens zu tun haben. Daraus ergibt sich eine dritte Antwort auf die Thema-Frage: *Zur Theologie macht neutestamentliche Wissenschaft das Bedenken der Frage, was die Ergebnisse der historisch-kritischen Schriftauslegung für das theologische Verständnis des vom Neuen Testament bezeugten christlichen Glaubens bedeuten.* Genau dies wäre ein Teil jener gesamttheologischen Aufgabe, die wir eingangs als methodisch geübte Reflexion über den Grund des christlichen Glaubens bestimmt hatten.

Diese Antwort muß freilich noch konkretisiert werden. Inhaltlich kommt dabei zunächst heraus, wie man den christlichen Glauben heute nicht bzw. nicht mehr verstehen kann. Die Ergebnisse der historisch-kritischen Schriftauslegung geben dem theologischen Verständnis des christlichen Glaubens gewisse Grenzen vor, die um der intellektuellen Redlichkeit willen respektiert sein wollen. Oder anders formuliert: Diese Ergebnisse gewähren dem theologischen Verstehen einen bestimmten Spielraum, indem sie zugleich eindeutige Fehlinterpretationen ausschließen. Doch muß dieser Sachverhalt noch positiv verdeutlicht werden.

Die Ergebnisse der historisch-kritischen Schriftauslegung betreffen einmal die Einsicht in die Einbettung der Gestalt Jesu und des neutestamentlichen Christuszeugnisses in ihre jüdisch-hellenistische Umwelt. Anknüpfung und Unterscheidung werden erkennbar. Jesus wie das Christuszeugnis der frühchristlichen Gemeinden stehen in einem intensiven Dialog mit ihrer Umwelt. Kurz gesagt: Urchristlicher Glaube, wie er sich in den neutestamentlichen Texten ausspricht, ist in hohem Maße dialogischer Glaube. Er ist weit entfernt davon, Ausdruck eines Monologs oder gar einseitiger Originalitätssucht zu sein. Dies aber berührt ganz elementar unsere Reflexion über den Grund des christlichen Glaubens. So haben wir eine vierte, die dritte Antwort konkretisierende Antwort gefunden: *Zur Theologie macht neutestamentliche Wissenschaft das Bedenken der Frage, was die Einsicht in den dialogischen Charakter des neutestamentlichen Glaubenszeugnisses für dessen Struktur bedeutet.* Sie bedeutet jedenfalls so viel, daß der Wahrheitsanspruch des urchristlichen Glaubens dialogisch und nicht etwa in reiner Diastase zu seiner Umwelt entwickelt worden ist. Dies aber muß theologisch interpretiert werden. Die Theorie der Apologeten vom Logos spermatikos dürfte hier auch noch heute ihr inneres Recht erweisen.

Die Ergebnisse der historisch-kritischen Schriftauslegung betreffen weiter die Einsicht in die Differenz zwischen dem mutmaßlichen historischen Jesusbild und dem kerygmatisch geformten Christuszeugnis der nachösterlichen Gemeinde, namentlich im hellenistischen Raum. Mag auch hier vieles sehr hypothetisch bleiben, die Differenz als solche ist unübersehbar und gewinnt, sobald sie einmal erkannt ist, theologische Relevanz. Zu fragen ist nämlich, ob und inwiefern das kerygmatisch geformte Christuszeugnis bei allen Unterschieden dennoch sachlich dem historisch erkennbaren Jesusbild entspricht bzw. als sinnvoller Bestandteil der nachösterlichen Wirkungsgeschichte des historischen Jesus begriffen werden kann. Soviel ist deutlich: Das auf Jesus bezogene Christuszeugnis kann nicht etwas behaupten, was mit dem historisch erkennbaren Verhalten und Anspruch des Menschen Jesus von Nazaret schlechthin unvereinbar ist. Andernfalls wäre dieses Christuszeugnis reine Mythologie und nicht – nach einem schönen Wort von Gerd Theißen[5] – die »Wiederkehr« des historischen Jesus »in symbolischen Steigerungen«. Damit kommen wir zu einer fünften Antwort, die gleichfalls die dritte Antwort konkretisiert: *Zur Theologie macht neutestamentliche Wissenschaft das Bedenken der Frage, ob und in welcher Weise zwischen dem mutmaßlichen historischen Jesusbild und dem kerygmatisch geformten Christuszeugnis der neutestamentlichen Texte eine sachliche Entsprechung obwaltet.* Dieses Bedenken stellt vor eine schwierige, im Ernstfall sehr kritische Interpretationsaufgabe, die nichtsdestoweniger als Aufgabe der neutestamentlichen Wissenschaft zu gelten hat, sofern sich diese ihrer gesamttheologischen Verantwortung bewußt ist.

Die Ergebnisse der historisch-kritischen Schriftauslegung betreffen endlich die Einsicht in die Vielfalt und das verschiedene Alter des neutestamentlichen Christuszeugnisses. Historisch-kritisch betrachtet, sind wir gar nicht berechtigt, von *dem* neutestamentlichen Christuszeugnis zu sprechen, sondern nur von je spezifischen Christuszeugnissen der neutestamentlichen Schriften und der ihnen zugrundeliegenden Traditionen. Geistige Umwelt und innergemeindliche Problematik provozieren an verschiedenen Orten und zu verschiedenen Zeiten unterschiedliche Gestalten des Christuszeugnisses, wobei in Zukunft verstärkt nach der Eigenart und Rolle soziologischer Faktoren zu fragen sein wird. Keine dieser Gestalten ist eine endgültige und allgemein verbindliche. Wird aber das Neue Testament nicht nur als historische Urkunde, sondern als auch für heutige Verkündigung verbindliche Glaubensurkunde gelesen, so ergibt sich die Notwendigkeit, die verschiedenen neutestamentlichen Christuszeugnisse nach ihrem sachlichen Gehalt zu vergleichen, speziell die jüngeren Zeugnisse mit den älteren Zeugnissen. Wo sachlich keine Brücke erkennbar würde, hätte theologische Sachkritik ihr Urteil zu sprechen. Das führt auf eine sechste Antwort, die noch einmal die dritte Antwort konkretisiert: *Zur Theologie macht neutestamentliche Wissenschaft das Bedenken der Frage, ob und in welcher Weise zwischen den unterschiedlichen Christuszeugnissen des Neuen Testaments eine sachlich-theologische Vereinbarkeit und Kontinuität obwaltet.* Solche Vereinbarkeit und Kontinuität verlangt weder eine einheitliche Ausdrucksform, noch schließt sie eine Weiterführung durch neue Elemente aus[6]. Andrerseits kann man sich theologisch nicht mit der Auskunft zufriedengeben, alle Gestalten des neutestamentlichen Christuszeugnisses seien doch Bestandteile der einen Wirkungsgeschichte des Christus-Ereignisses und insofern nicht zu hinterfragen. Eine solche Auffassung übersähe, daß es in einer Wirkungs-

---

5. *G. Theißen:* Argumente für einen kritischen Glauben, München 1978, S. 105.
6. So auch W. Joest, a.a.O., S. 172.

geschichte auch Brüche und Irrtümer geben kann, daß mithin ein wirkungsge-
schichtlicher Zusammenhang für sich noch nicht notwendig einen theologischen
Begründungszusammenhang bildet. Für theologische Reflexion über den Grund
des christlichen Glaubens bleibt deshalb die Frage nach Vereinbarkeit und Kontinuität der neutestamentlichen Christuszeugnisse eine sachlich unerläßliche Aufgabe.

An dieser Stelle ist eine kurze Zwischenüberlegung fällig. Die letzten drei Teilant-
worten auf unsere Thema-Frage waren notwendige Konkretionen der vorausge-
henden dritten Teilantwort und bewegten sich im Umkreis der unmittelbaren Ergebnisse der historisch-kritischen Schriftauslegung. Es zeigte sich: Nicht die historisch-kritische Schriftauslegung als solche macht die neutestamentliche Wissenschaft zur Theologie, sondern erst das Bedenken der Frage, was ihre Ergebnisse
für das theologische Verständnis des vom Neuen Testament bezeugten Glaubens
austragen. Wir stünden damit am Ende unserer Überlegungen, wenn neutestamentliche Wissenschaft als wissenschaftliche Untersuchung des Neuen Testaments sich im wesentlichen auf die historisch-kritische Auslegung der neutestamentlichen Texte beschränkte. Das aber ist offensichtlich nicht der Fall und kann
auch gar nicht der Fall sein, wenn man den Anspruch bzw. das Selbstverständnis
der Texte ernst nimmt, Verbindliches sagen zu wollen, das nicht in reiner Situa-
tionsgebundenheit aufgeht. Historisch-kritische Schriftauslegung, die im Raum der
christlichen Wirkungsgeschichte des Neuen Testaments getrieben wird, muß sich
durch die Eigenart der neutestamentlichen Texte an vorletzte Stelle verweisen lassen, d. h.: Ihr in sich geschlossenes, rationalistisch geprägtes Geschichts- und
Wirklichkeitsbild muß aufgesprengt werden durch die Erwartung, daß in den
scheinbar so menschlichen, weil historisch-kritischer Analyse zugänglichen Aussagen dieser Texte dennoch Gottes Anruf selbst und damit eine heute gültige
Wahrheit begegnet. Dies bedeutet nicht eine nachträgliche Zurücknahme der Ergebnisse der historisch-kritischen Schriftauslegung, wohl aber das doppelte Zugeständnis, daß einerseits die historisch-kritische Schriftauslegung selbst historisch
bedingt ist, also nicht absolut gesetzt werden kann, und daß andrerseits selbst die
historisch relativierten Aussagen des Neuen Testaments bleibende Wahrheit ent-
bergen können, die uns heute richtend und befreiend trifft. Daß letzteres geschieht,
ist nicht mehr Sache der neutestamentlichen Wissenschaft, sondern Sache au-
thentischer religiöser Erfahrung im Zusammentreffen mit Texten, die selbst Ausdruck solcher Erfahrung sind. Wohl aber kann, ja muß eine theologisch verantwortete neutestamentliche Wissenschaft dieser gegenwartsbezogenen Erwartung
darin entsprechen, daß sie – von historisch-kritischer Schriftauslegung begleitet,
aber dem Aussagewillen der Texte folgend – die sachlichen Anliegen des Neuen
Testaments in geordneter Weise interpretierend nachzeichnet und so einen entscheidenden Beitrag zur methodisch geübten Reflexion über den Grund des christlichen Glaubens leistet. Peter *Stuhlmacher* hat wohl diese, über die reine historisch-kritische Schriftauslegung hinausgehende Aufgabe der neutestamentlichen
Wissenschaft vor Augen, wenn er vorschlägt, die drei klassischen Prinzipien der

Kritik, der Analogie und der Korrelation durch das vierte Prinzip des »Vernehmens« zu ergänzen[7], eines Vernehmens, das letztlich nicht auf Distanz, sondern auf Einverständnis zielt. Jedenfalls ergibt sich hier eine siebte, im Vergleich zu allen vorigen Antworten weitaus direktere Antwort auf unsere Thema-Frage: *Zur Theologie macht neutestamentliche Wissenschaft das Bemühen, auf dem Hintergrund historisch-kritischer Schriftauslegung die sachlichen Anliegen des Neuen Testaments in geordneter Weise interpretierend nachzuzeichnen.*

Freilich bedarf die so beschriebene Aufgabe noch einer gewissen Konkretion, um anschaulich genug zu sein. Zu fragen ist nämlich, was das heißt: a) in geordneter Weise b) interpretierend nachzuzeichnen. Wenn ich recht sehe, bieten sich zwei Möglichkeiten an, die sich nicht ausschließen, sondern ergänzen. Einmal legt es sich nahe, der Mehrzahl der Lehrbücher der neutestamentlichen Theologie folgend, den Aussagegehalt bestimmter Schriften, die sich als Dokumente der gleichen Gruppe oder des gleichen Autors erweisen, nachzuzeichnen. Die Interpretation wird sich dabei von dem Ziel leiten lassen, den inneren Zusammenhang der verschiedenen Aussagekomplexe sichtbar zu machen, so daß zumindest ansatzweise bestimmte Typen von Theologie hervortreten: die Theologie des Paulus, die Theologie der Synoptiker, die johanneische Theologie, die Theologie der Deuteropaulinen usw. Diese Typen frühchristlicher Theologie sind als in sich stimmige Entwürfe christlichen Gott-, Welt- und Menschenverständnisses zu begreifen, die dem Gott-, Welt- und Menschenverständnis des heutigen Menschen als Anstoß und Anfrage zu dienen vermögen. Zugleich dürfte man gewiß sein, dabei auf einst lebendige und unterscheidbare geschichtliche Gebilde zu stoßen. Die damit konkretisierte Antwort – die achte auf unsere Thema-Frage – wäre demnach folgendermaßen zu formulieren: *Zur Theologie macht neutestamentliche Wissenschaft das Bemühen, den Aussagegehalt einzelner neutestamentlicher Schriften oder Schriftengruppen als in sich stimmige, historisch abgrenzbare Entwürfe christlichen Gott-, Welt- und Menschenverständnisses nachzuzeichnen.* Im Hintergrund könnte dabei die aus Theologie- und Frömmigkeitsgeschichte belegbare Erfahrung stehen, daß zu keiner Zeit alle theologischen Entwürfe des Neuen Testaments in gleicher Geltung gestanden haben; vielmehr ist der Scheinwerferkegel des existentiellen Interesses am Neuen Testament immer wieder auf andere Entwürfe bzw. Schriften gefallen. Ich will damit sagen, daß die heute manchmal allzu eilfertig getadelte Darstellung der sog. neutestamentlichen Lehrbegriffe insofern ihr gutes Recht behält, als sie einer unleugbaren geschichtlichen Erfahrung entspricht, deren theologische Bedeutung im Rahmen der christlichen Wirkungsgeschichte des Neuen Testaments nicht unterschätzt werden sollte.

Allerdings kann dies wohl noch nicht das letzte Wort zur Sache sein. Die Darstellung solcher innerneutestamentlich abgrenzbaren theologischen Entwürfe bleibt noch immer primär dem historischen Interesse verpflichtet. Sicher geht sie über

---

7. *P. Stuhlmacher:* Schriftauslegung auf dem Wege zur biblischen Theologie, Göttingen 1975, S. 36 u. 121.

den historisch-kritisch analysierbaren Wortlaut der Texte hinaus, indem sie auf dieser Grundlage einen Kosmos theologischer Gedanken und Motive sichtbar macht, der so nicht in den Texten, sondern hinter oder über ihnen existiert, die sog. »Textwelt«, die nach Paul *Ricœur* der eigentliche Gegenstand der Hermeneutik ist[8]. Doch bleibt selbst dies eine primär historisch situierte Textwelt, die erst sekundär zum Sich-Verstehen vor ihr einlädt.

Einen entscheidenden Schritt darüber hinaus tat Rudolf *Bultmann,* als er zumindest die Darstellung der paulinischen und der johanneischen Theologie einer aus der geistigen Situation der Gegenwart entnommenen Leitfrage unterwarf, nämlich der Leitfrage nach dem sich in den Texten ausdrückenden bzw. in ihnen vorausgesetzten Existenzverständnis, wobei ihn primär die Existenz des einzelnen als des Glaubenden, Verstehenden und Sich-Entscheidenden interessierte[9]. Der damit gewonnene Fortschritt der Interpretation sollte nicht wieder preisgegeben werden. Wohl aber gilt es, den Ansatz Bultmanns aufgreifend, bewußt über ihn hinauszugehen. Die Notwendigkeit dafür ist schon allein dadurch gegeben, daß die geistige Situation jener Zeit, in der Bultmann die Prinzipien seiner existentialen Interpretation entwickelte, nicht mehr die geistige Situation unserer Zeit bzw. der Bultmann nachfolgenden Generation ist. Darauf haben u. a. Ernst *Käsemann* und Peter *Stuhlmacher* mit Recht hingewiesen[10]. Erinnert sei hier nur daran, daß nach unserer Erfahrung und Einsicht der Mensch nicht nur ein glaubender, verstehender, sich entscheidender ist, sondern ebensosehr ein erleidender, ein durch kollektive und transpersonale Verflechtungen bestimmter, ein primär auf Gemeinschaft und Zukunft angewiesener. Peter *Stuhlmacher* hat deshalb vorgeschlagen, die existentiale Interpretation biblischer Traditionen weiterzuführen durch »erneute Reflexion auf die universalgeschichtlichen Lebensprozesse«[11]. Damit könnte eine neue Leitfrage für die Darstellung neutestamentlicher Theologie gewonnen sein. Doch fürchte ich, daß hier abermals ein verengtes Interpretationsgefälle droht. Ich möchte lieber, einer Anregung J. M. *Robinsons* folgend[12], dafür plädieren, den Bultmannschen Ansatz in breiter Auffächerung weiterzuführen. Schon *Bultmann* selber hat darauf hingewiesen, daß zumindest bei Paulus nicht nur jeder Satz über Gott zugleich ein Satz über den Menschen, sondern ebenso umgekehrt jeder Satz über den Menschen auch ein Satz über Gott ist[13]. Damit deutet er an, daß man die paulinischen Texte nicht nur »anthropologisch«, sondern ebensogut »theolo-

---

8. *P. Ricœur und E. Jüngel:* Metapher. Zur Hermeneutik religiöser Sprache, München 1974, S. 39–43.

9. *R. Bultmann:* Theologie des Neuen Testaments, hg. v. *O. Merk* (UTB 630), Tübingen 1980[8].

10. *E. Käsemann:* Vom theologischen Recht historisch-kritischer Exegese, ZThK 64, 1967, S. 276ff.; P. Stuhlmacher, a.a.O., S. 32ff.

11. P. Stuhlmacher, a.a.O., S. 40.

12. *J. M. Robinson:* Die Zukunft der neutestamentlichen Theologie, in: FS Herbert Braun, Neues Testament und christliche Existenz, Tübingen 1973, S. 387–400.

13. R. Bultmann, a.a.O., S. 192.

gisch« interpretieren kann, d. h., auf das in ihnen sich direkt oder indirekt ausspre-
chende Gottesverständnis befragen darf. Diese ganz andere Art der Darstellung
neutestamentlicher Theologie ist von *Bultmann* bekanntlich nicht realisiert worden,
wenngleich gerade seine späten Aufsätze ein betontes Interesse an der Gottes-
frage zeigen[14]. Diese Erweiterung des Bultmannschen Ansatzes läßt sich aber
grundsätzlich auf alle das Menschsein bestimmenden Aspekte der Wirklichkeit
ausdehnen. Warum soll man nicht das ganze Neue Testament in ähnlicher Weise
auf sein Verständnis von Welt, von Geschichte, von Gegenwart und Zukunft, von
Sozialem und Individuellem, von Heils- und Unheilserfahrung u. ä. interpretieren?
Aber eben so, daß man nicht nur die direkten Aussagen zu diesen einzelnen
Aspekten zusammenträgt, sondern so, daß man auch andere Texte auf das in ihnen vorausgesetzte bzw. in ihnen sich indirekt ausdrückende Verständnis des jeweiligen Aspektes hin befragt. Das wird nicht ohne Zuhilfenahme der historisch-kritischen Schriftauslegung gehen, führt aber entschieden über sie hinaus, insofern
jetzt nicht primär nach einem historischen Phänomen, sondern nach Beiträgen
zum Gesamtverständnis von Wirklichkeit gefragt wird. Wesentlich ist auch hier die
Erwartung, mit der die Sprachbewegung der Texte abgehört wird. Der Grund des
christlichen Glaubens, wie er uns im Neuen Testament begegnet, würde so in ganz
neuer Weise entfaltend reflektiert – unbestreitbar ein wichtiger Beitrag zu dem, was
Theologie zu heißen verdient. Eine neunte Antwort auf unsere Thema-Frage muß
demnach lauten: *Zur Theologie macht neutestamentliche Wissenschaft das Bemühen, die Texte des Neuen Testaments auf das in ihnen lebende Verständnis
wesentlicher Aspekte der das Menschsein bestimmenden Wirklichkeit zu interpretieren.*
Noch einmal: Wichtig wären dabei heute vor allem solche Aspekte, die über den
Horizont des Individuums und des Intellekts hinausgreifen, die den Menschen als
vielfach von Wirklichkeit Betroffenen, in Wirklichkeit Verflochtenen ernst nehmen,
dessen eigenes Verstehen und Entscheiden immer erst etwas Sekundäres ist. Es
würde sich zeigen, wie von der Christologie als dem Herzstück der neutestamentlichen Theologie her auf alle jene heute wiederentdeckten, für das Menschsein wesentlichen Aspekte der Wirklichkeit ein bedeutsames Licht fällt. Natürlich wären
auch dabei ältere und jüngere Texte, ältere und jüngere Traditionen zu unterscheiden und Unterschiede im Verständnis der jeweiligen Aspekte herauszuarbeiten.
Gerade so würde sich eine nie zum Stillstand kommende Bewegung von Verstehen und Bekennen abzeichnen, in der sich dann auch dominierende Elemente her-
ausheben. Im Ergebnis geht es um nicht weniger als das Angebot von »Alternati-
ven zur Moderne«, die entweder freudig bejaht oder ernstlich verworfen werden[15].
Daß die moderne Menschheit in ihrer abgrundtiefen Ratlosigkeit Altenativen nötig

---

14. Vgl. *R. Bultmann:* Ist der Glaube an Gott erledigt?, und: Der Gottesgedanke und der moderne Mensch, in: *ders.:* Glaube und Verstehen IV, Tübingen 1965, S. 107 ff.
15. J. M. Robinson, a.a.O., S. 400.

hat, ist ja ganz unbestreitbar. Schon der kleinste Beitrag, der neutestamentliche Texte in solcher Erwartung interpretiert, verdient den Namen Theologie.

Ich bin am Ende meiner Überlegungen. In neun Schritten habe ich versucht, unsere Thema-Frage zu beantworten. Einfacher scheint es mir nicht zu gehen, wenn es sich nicht um eine globale, sondern eine differenzierende Antwort handeln soll. Im Rückblick zeigt sich, daß es vor allem zwei Gesichtspunkte sind, die neutestamentliche Wissenschaft konkret zur Theologie machen, nämlich die Frage nach der Stimmigkeit (Kohärenz) und die Frage nach der Bedeutsamkeit (Relevanz) des neutestamentlichen Glaubenszeugnisses auf dem Hintergrund der historisch-kritischen Schriftauslegung[16]. Beide Fragen sind eng miteinander verknüpft: Im Aufweis der Stimmigkeit der Textaussagen wird ihre Bedeutsamkeit sichtbar. Im Grunde geht es in allen neun Antworten um eben diese beiden Fragen. Daß sie ganz unmittelbar mit Theologie als methodisch geübter Reflexion über den Grund des christlichen Glaubens zu tun haben, liegt auf der Hand.

Gerade dieser Hinweis könnte allerdings den Vorwurf provozieren, unsere Thema-Frage sei hier letztlich reichlich formal beantwortet worden. Müßte nicht vielmehr inhaltlich bestimmt von Offenbarung o. ä. die Rede sein? Dagegen ist geltend zu machen, daß solche inhaltliche Kriterienbestimmung den Spielraum der neutestamentlichen Wissenschaft als Theologie sofort erheblich einengt, während eine stärker formale Kriterienbestimmung ihn allererst eröffnet. Das hier gewählte Verfahren zur Beantwortung der Thema-Frage ist mit Bedacht ein phänomenologisches: Es sollte beschrieben werden, inwiefern neutestamentliche Wissenschaft faktisch nicht nur als historisch-kritische Schriftauslegung, sondern als Theologie fungiert. Im Rahmen der gegebenen Antworten sind im einzelnen sehr unterschiedliche theologische Positionen denkbar, die sachlich unvereinbar sein mögen, die aber doch alle beanspruchen dürfen, neutestamentliche Wissenschaft als Theologie zu betreiben.

Diese Weite des Spielraums hatte m. E. auf seine Weise auch Rudolf *Bultmann* vor Augen, als er schon vor über 50 Jahren formulierte: »Theologisch wird die Arbeit des Exegeten nicht durch seine Voraussetzungen und seine Methode, sondern durch ihren Gegenstand, das Neue Testament.«[17] Selbst ein Mann wie Adolf *Schlatter,* der für einen kritischen Umgang des Theologen mit der historisch-kritischen Methode eintrat, hat dennoch für die Interpretation biblischer Texte nicht eine besondere geistliche Hermeneutik gefordert. Darum kann es auch heute nicht gehen. So mag hier abschließend – unter dem Vorbehalt der Geltung der bisher gegebenen neun Antworten – eine letzte, zehnte Antwort stehen: *Zur Theologie macht neutestamentliche Wissenschaft letztlich weder ihre Methodik noch irgendeine Leitfrage, sondern allein ihr Gegenstand, das vielfältige Glaubenszeug-*

---

16. Diese glücklich zusammenfassenden Gesichtspunkte verdanke ich einem Diskussionsbeitrag von G. Theißen in Oslo-Lysebu.

17. *R. Bultmann:* Die Bedeutung der »dialektischen Theologie« für die neutestamentliche Wissenschaft, in: *ders.:* Glaube und Verstehen I, Tübingen 1954, S. 133.

nis des Neuen Testaments. Oder anders formuliert: Ob neutestamentliche Wissenschaft zur Theologie *wird,* ob sie ein Stück notwendige Reflexion über den Grund des christlichen Glaubens *wird,* das hängt zuletzt nicht von unserer Kunstfertigkeit, sondern allein von der Erwartung ab, mit der wir an die Interpretation der Texte herangehen. Erwartung kann nicht durch Methode ersetzt werden. Das Maß der Erwartung aber hängt – der alte hermeneutische Zirkel – von der Erfahrung ab, die wir selbst im Umgang mit eben diesen Texten machen.

II. Der Beitrag der katholischen Exegese

6. Neutestamentliche Wissenschaft – Gegenwärtige Tendenzen und Probleme aus römisch-katholischer Sicht*
Anton Vögtle

Ist der Aufbruch der neueren katholischen Exegese des Neuen Testaments auch ein Stück Geschichte zunehmender konfessioneller Toleranz? Das darf sehr wohl bejaht werden. Nur hieße es, den Gang der Dinge zu verkennen, wollte man es dabei belassen, die Entwicklung der letzten fünfzig oder sechzig Jahre auf diese Formel zu bringen. Als Exeget kann man sich eines Schmunzelns nicht erwehren, daß in einem von mehreren hundert Theologen unterzeichneten Plädoyer von 1968 zu lesen ist, die durch das Vaticanum II wiedergewonnene Freiheit der Theologen und der Theologie sei »eine Frucht und Forderung der befreienden Botschaft Jesu selbst«. Wären jene Theologen auf diesen Satz gekommen, wenn die evangelische Exegese, vorab die deutsche (wie man, ohne jemandem unrecht zu tun, sagen darf), nicht zuvor mit den Mitteln historischer Forschung Gestalt und Botschaft des vorösterlichen Jesus zu erheben versucht hätte und ihre Erkenntnisse nicht auch in die katholische Fachexegese eingedrungen wären?

Ein erschöpfendes Referat über die neuere Entwicklung und den Stand der katholischen neutestamentlichen Forschung ist eine schwer zu bewältigende Aufgabe, wenn auch nur die wichtigsten Veröffentlichungen, Monographien und weitverstreute, teilweise noch gewichtigere Einzelbeiträge zu allen neutestamentlichen Schriften und Schriftengruppen genannt und in die Gesamtdiskussion eingeordnet werden sollen. Der früher fast gewohnheitsmäßige Hinweis auf konfessionell unterschiedliche Auslegungen ist zudem erfreulicherweise weithin gegenstandslos geworden, weil sich die Exegeten denselben Methoden der Textbefragung verpflichtet wissen und die verschiedenartigen exegetischen Auffassungen in den allermeisten Fällen quer durch die Konfessionen gehen. Ich bescheide mich damit, nach (I.) einem generellen Überblick (II.) einige aktuelle Probleme und Tendenzen an konkreten Sachfragen zu illustrieren[1].

---

*Vortrag am 30. September 1981.

1. In seinem sehr instruktiven Überblick »Der Beitrag der katholischen Exegese zur neutestamentlichen Forschung« berichtete *F. Hahn* über die Entwicklung bis 1972/73 (VuF 18, S. 83–98). Außer Einzelpublikationen sind daselbst auch die Kommentar- und Monographienreihen sowie die wichtigsten Fachzeitschriften aufgeführt, worauf hier verwiesen sei. Die Publikationen der nachfolgenden Jahre (bis 1979/80) zu den einzelnen neutestamentlichen Schriften, Sachthemen, Begriffen usw. wurden geradezu erschöpfend von *O. Merk* verzeichnet: R. Bultmann, Theologie des Neuen Testaments, 8., durchgesehene, um Vorwort und Nachträge wesentlich erweiterte Auflage (UTB 630), Tübingen 1980, S. 626–704. In meinem schon länger abgeschlossenen Referatsmanuskript konnten nachfolgende Publikationen nur mehr beiläufig berücksichtigt werden.

I.

1. Exegese und kirchliches Lehramt

Nach der Enzyklika »Divino afflante Spiritu« von 1943 ist die diese weiterführende Dogmatische Konstitution des Vaticanum II »Über die göttliche Offenbarung« das wichtigste lehramtliche Dokument geworden, das auch der neutestamentlichen Exegese grünes Licht für die Handhabung der anerkannten historischen Methoden gab. Im Rahmen ihres Hinweises auf die Beachtung und Erforschung literarischer Gattungen hat die genannte Konstitution im besonderen durch die Formulierung, die Wahrheit werde in den Heiligen Schriften ausgedrückt »in textibus vario modo ... historicis« – »in Texten von in verschiedenem Sinn ... geschichtlicher Art« (III,12) –, speziell der Erschließung von Erzähltexten prinzipiellen Freiraum geschaffen. Um der vorgängigen neutestamentlichen Forschung wie dem Lehramt selbst gerecht zu werden, sollte freilich nicht in Vergessenheit geraten, warum es zu der schrittweisen Öffnung des Lehramts bis hin zum Vaticanum II kam. Diese verdankte sich grundlegend dem Umstand, daß die katholische Auslegung des Neuen Testaments schon Jahrzehnte zuvor dem Druck von Fragestellungen, Methoden, Argumentationen und grundlegenden Erkenntnissen der evangelischen Forschung mehr und mehr nachgeben mußte – als einer von der alten Generation der Neutestamentler habe ich die gleichermaßen schmerzliche und befreiende Metamorphose von einer noch stark aprioristisch-apologetischen zur historischen Exegese noch miterlebt – und daß deren Einsichten auch Vertreter der systematischen Disziplinen, vorab der Dogmatik und Fundamentaltheologie, zu einer Neuorientierung führten, ohne die auch manche Neuakzentuierungen des Vaticanum II wohl kaum vorstellbar wären[2].

Sosehr die Konstitution über die göttliche Offenbarung betont, das kirchliche Lehramt stehe nicht über dem Wort Gottes, sondern diene ihm, und die Exegese solle durch die tiefere Erfassung des Sinnes der Schrift darauf hinarbeiten, daß »so gleichsam das Urteil der Kirche reift«, deklariert sie freilich nicht weniger deutlich: »Alles, was die Art der Schrifterklärung betrifft, untersteht letztlich dem Urteil der Kirche, deren gottgegebener Auftrag und Dienst es ist, das Wort Gottes zu bewahren und auszulegen« (III,12). Ein konfessionsbedingtes »Vorverständnis« ist anerkanntermaßen ein Faktor, der bei Vertretern aller christlichen Denominationen mit in Anschlag zu bringen ist, wenigstens in Fragepunkten, bei denen das je eigene Glaubens- und Traditionsverständnis mit im Spiel ist. In dieser Hinsicht unterscheidet sich die Situation des katholischen Exegeten indes nach wie vor von der seines evangelischen Kollegen, der bei aller Respektierung der reformatorischen Bekenntnisschriften und der Tradition seiner Glaubensgemeinschaft das Prinzip der

---

2. So z. B. die betonte Sicht der Kirche als Volk Gottes; in der gen. Dogmatischen Konstitution sodann das Verständnis der Christusoffenbarung als eines geschichtlichen Vorgangs, die Betonung der fides subjectiva (Glaube als personale Begegnung und Hingabe) und die Hervorhebung der Einheit des Volkes Gottes, nämlich der grundsätzlichen Einheit von Vorstehern und Gläubigen gegenüber dem Wort Gottes und im Wort Gottes.

scriptura als norma normans non normanda im Ernstfall unangefochtener zur Geltung bringen kann. Auch einem so maßgebenden Exegeten wie R. Schnackenburg »scheint W. Kasper [sc. Dogmatiker] recht zu haben, wenn er in seinem Diskussionsbeitrag zu Josef Blank bemerkt, daß es nach seiner Meinung zum Verhältnis von kirchlichem Lehramt und Theologie gegenwärtig weder theoretisch noch praktisch eine befriedigende Lösung gebe«[3]. Das schließt indes nicht aus, daß die Organe des kirchlichen Lehramts trotz vereinzelter Restriktionen den Exegeten faktisch eine beachtlich lange Leine zugestehen, wie nicht nur die bekannten neueren Publikationen ökumenischer Kommissionen und Gesprächskreise belegen. Das bestätigt auch die Gesamtdiskussion von Fragekomplexen wie Kirchenverständnis, Amt und Ämter (einschließlich der Petrusfrage) oder Abendmahl, von Teilfragen der Christologie, wie z. B. auch des Stellenwerts der Präexistenzaussagen, und nicht zuletzt von mariologisch bedeutsamen Texten. Als Gradmesser der theologischen Effizienz der neutestamentlichen Basiswissenschaft erweist sich im besonderen die Dogmatik, die als solche die kirchliche Lehre und ihre Entfaltung darzustellen hat. Hier setzte sich in den letzten Jahren z. B. stark die Auffassung durch, die Einsichten biblischer Theologie würden eine Neustrukturierung der Christologie im Sinne einer Christologie »von unten« verlangen. Ein beachtliches Schlaglicht auf die Beachtung der neutestamentlichen Diskussion wirft u. a. auch die 1980 von der Internationalen Theologenkommission beim Heiligen Stuhl verabschiedete Stellungnahme zu Fragen der Christologie. Sie belegt beispielsweise das heilsmittlerische Todesverständnis Jesu – sicher in Anbetracht der in den letzten Jahren katholischerseits weitergeführten Kontroverse (s. u. II.1) – nicht einfach mit Mk 10,45 und der Abendmahlsüberlieferung. H. Schürmanns Handschrift verratend, nennt sie vielmehr »zwei Prämissen«, aus denen »eine Heilswirksamkeit des Todes Jesu erschlossen werden kann«, nämlich: »a) Jesus wußte sich als der eschatologische Heilbringer sowie als Verkünder und ›Repräsentant‹ des Gottesreiches ... b) Jesu gehorsam angenommener ... Tod wurde durch die Auferweckung und Erhöhung Jesu von Gott her als für das Gottesreich und für die Gottesherrschaft konstitutiv« bestätigt[4].

Nicht zuletzt dürfte sich auch der nur zu gern ins Lächerliche gezogene Dissens exegetischer Meinungen auf das praktische Verhalten des Lehramts gegenüber der Exegese auswirken. Man geht kaum fehl mit der Vermutung, daß seine Organe den Exegeten auch deshalb einen beträchtlichen Freiraum gewähren, weil sich diese, gerade auch bei empfindlichen Fragepunkten, gegenseitig kontrollieren, korrigieren oder doch so weit blockieren, daß von einem »non liquet« des historischen Befunds gesprochen wird und eine direkte lehramtliche Stellungnahme schon von da-

---

3. In dem Interview (Exegese: ihre Rolle in Theologie und Kirche«, HerKorr 33, 1979, S. 551; zum gleichen Thema auch: *R. Schnackenburg:* Maßstab des Glaubens, Freiburg 1978, S. 11–36.
4. Zitiert nach dem deutschen Auszug aus dem lat. Original (Gr 61, 1980, S. 609–632): Ausgewählte Fragen zur Christologie, HerKorr 35, 1981, S. 137–145, hier S. 143.

her nicht akut wird[5]. Als Beispiel sei genannt die sehr unterschiedliche Reaktion auf die 1977 erschienene überlieferungskritische Behandlung der Geburts- und Kindheitsgeschichten von R. E. Brown[6], zu der als nennenswertes monographisches und weiterführendes Parallelstück übrigens nur ein von R. Pesch herausgegebener Sammelband hinzugekommen ist[7]. Was die christologisch relevanteste Aussage von der geistgewirkten Empfängnis Jesu betrifft, stehen bis heute Befürwortern eines erst nachösterlichen Christologumenons[8] Befürworter der Historizität des biologischen Phänomens[9] gegenüber bzw. Autoren, die letztere Auffassung favorisieren, sich aber noch durch die Konzession absichern, was die historische Methode kontrollieren kann, reiche nicht aus, um die Historizitätsfrage zu lösen[10]. Ähnlich steht es mit der für die virginitas ante et post partum relevanten Frage der Brüder und Schwestern Jesu[11]. Statt mit leiblichen Geschwistern[12] wird auch bis heute eher mit Verwandten Jesu gerechnet[13] oder auch votiert:

---

5. Noch abgesehen davon, daß auch Lehraussagen der Kirche nach Auffassung heutiger Dogmatiker als geschichtlich bedingte Aussagen der Interpretation bedürfen und nicht in jeder Hinsicht als unüberholbar gelten müssen.

6. The Birth of the Messiah, New York 1977.

7. Zur Theologie der Kindheitsgeschichten. Der heutige Stand der Exegese, München 1981. Ein zentrales Referat (über Lk 1,26–38) steuerte U. Wilckens bei.

8. *G. Schneider:* Das Evangelium nach Lukas. Kapitel 1–10 (ÖTK 3/1), Gütersloh und Würzburg 1977, S. 48–53; G. Lohfink, TQ 159, 1979, S. 304–306; *P. Fiedler:* Geschichten als Theologie und Verkündigung, in: *R. Pesch:* Zur Theologie, S. 11–26; vgl. auch *D. Zeller:* Die Verkündigung der Geburt – Wandlungen einer Gattung, ebd. S. 27–48.

9. *H. Schürmann:* Die geistgewirkte Lebensentstehung Jesu, in: Einheit in der Vielfalt *(FS H. Aufderbeck),* Leipzig 1974, S. 156–169; *J. Ernst:* Das Evangelium nach Lukas, Regensburg 1977, S. 75–80; S. M. Iglesias, EstB 37, 1978, S. 5–28.213–241; vgl. weiter etwa R. Laurentin, Marianum 41, 1979, S. 76–100; J. Herich, Clisty 92, 1979, S. 50–52.

10. So unter Berufung auf eine Formulierung von *R. E. Brown:* The Birth, S. 517–533: *J. Fitzmyer* in seiner repräsentativen Studie über die neutestamentliche Christologie, die erweitert in französischer Übersetzung erschien unter dem Titel: Nouveau Testament et christologie, NRTh 113, 1981, S. 18–47. 187–208, hier S. 189. In gleicher Richtung äußerte sich übrigens auch die amerikanische interkonfessionelle Gemeinschaftsstudie »Mary in the New Testament«, ed. *R. E. Brown u. a.,* Philadelphia 1978 (dt.: Maria im Neuen Testament, Stuttgart 1981), S. 96: »In summation, we see no way in which a modern scientific approach to the Gospels can establish the historicity of the virginal conception (or, for that matter, disprove it).«

11. Die Diskussion wurde vor allem gefördert durch *L. Oberlinner:* Historische Überlieferung und christologische Aussage. Zur Frage der »Brüder Jesu« in der Synopse (fzb 19), Stuttgart 1975, und *R. Pesch:* Das Markusevangelium I (HThK 2/1), Freiburg ³1980, S. 322 bis 325.453–462.

12. So L. Oberlinner, demzufolge jedenfalls die Mk 6,3 verwendete historische Überlieferung ausschließlich leibliche Geschwister voraussetzt: a.a.O., S. 333–338; R. Pesch, a.a.O.; *J. Beutler:* Art. »adelphós«, in: EWNT I, S. 69.

13. So J. Ernst, Lk, S. 123–125. Nach J. Fitzmyer ist nicht »mit Sicherheit« auszuschließen, daß »adelphós« den weiteren Sinn von Verwandten hat: Nouveau Testament, S. 180–191.

»Historisch stringent läßt sich weder die eine noch die andere Annahme bewei-sen.«[14]

2. Einleitungsfragen

Was deren Behandlung betrifft, ist die fast ganz neu bearbeitete Einleitung meines Lehrers A. Wikenhauser (1953) durch J. Schmid[15] im ganzen repräsentativ geblie-ben. Während A. Wikenhauser im Hinblick auf die seit 1905 ergangenen restringie-renden Dekrete der Bibelkommission mit der jeweiligen Gegenüberstellung von pro und contra sein eigenes Urteil über Abfassungsverhältnisse nur durchblicken ließ und beim Briefkorpus noch mit der reichlich strapazierten Sekretärshypothese operieren mußte, konnte J. Schmid die unsererseits de facto schon länger prakti-zierte Zweiquellentheorie frank und frei als praktikabelste Lösung des synopti-schen Problems befürworten und in Fragen der Verfasserschaft, Abfassungszeit, Einheitlichkeit einer Schrift eine Offenheit gegenüber den inneren Kriterien bekun-den, die den Vergleich mit den Einleitungen von W. G. Kümmel und E. Lohse – um nur diese beiden zu nennen – nicht zu scheuen braucht. Diese kritische Gesamt-richtung, die durchaus auch unterschiedliche, keineswegs konfessionsbedingte Beurteilungen einzelner Schriften zuläßt, wie bereits ein Vergleich der drei genann-ten Einleitungen zeigt, hat sich katholischerseits weithin, aber noch nicht allgemein durchgesetzt. Das bestätigt neben anderen Versuchen[16] auch das größte neuere Einleitungswerk, die von mehreren französischen Autoren verfaßte fünfteilige »In-troduction critique au Nouveau Testament«[17], die bei aller Verschiedenwertigkeit doch »sorgfältige Beachtung« verdient[18]. Daß die Zweiquellentheorie gegenüber komplizierteren Hypothesen (A. Gaboury, M. E. Boismard, X. Léon-Dufour) zuneh-mend bevorzugt wird, ist nicht zuletzt der im katholischen Raum einflußreichen Uni-versität Löwen zuzuschreiben, wo der auf die synoptische Frage konzentrierte Kol-lege F. Neirynck zusammen mit seinen Schülern mit einem seltenen Aufgebot von Akribie die Zweiquellentheorie verficht[19] und zu diesem Zweck in den EThL z. T. geradezu monographieartige Rezensionen zu Synoptikerkommentaren, Synop-sen und Konkordanzen publiziert[20]. Die Auseinandersetzung mit der Infragestel-lung der Zweiquellentheorie durch Neugriesbachianer wird auch sonst weiterge-führt[21].

---

14. *J. Gnilka:* Das Evangelium nach Markus I (EKK 2/1), Zürich und Neukirchen-Vluyn 1978, S. 234.

15. Einleitung in das Neue Testament, Freiburg 1973.

16. Z. B. *S. Garcia u. a.:* Iniciación al la lectura del Nuevo Testamento, Bilbao 1979.

17. *A. George–P. Grelot (ed.):* Introduction à la Bible. Ed. nouv., Tome III, Paris 1976–77.

18. So W. G. Kümmel in seiner eingehenden Rezension: ThLZ 104, 1979, S. 813–817.

19. So schon in seinem Band »The minor agreements of Matthew and Luke against Mark with a cumulative List« (BETL XXXVII), Löwen 1974.

20. Vgl. auch seine —Studies on Q since 1972«, EThL 56, 1980, S. 409–413, und die Rezen-sion zu A. Polag, Fragmenta Q, Neukirchen-Vluyn 1979: EThL 55, 1979, S. 373–381.

21. Z. B. von *F. Lentzen-Deis:* Entwicklungen in der synoptischen Frage, ThPh 55, 1980, S. 559–570.

3. Exegetische Methoden

In der Methoden-Reflexion[22] ist im Vergleich zu anderen neuen Zugangswegen wie der kritisch beurteilten psychoanalytischen Interpretation[23] und der sozialgeschichtlichen Auslegung, die als solche immer schon ein Implikat historischer Methode war, die »Linguistik« – hier als Bezeichnung für alle Dimensionen moderner Sprachwissenschaft gebraucht – stärkstens in den Vordergrund gerückt. Nachdem sie in Frankreich schon früh aufgegriffen und im deutschen Sprachraum neben anderen Kollegen besonders von F. Mußner und seinen Schülern gefördert wurde[24], wird sie katholischerseits überall überwiegend positiv diskutiert[25]. Ohne auf die noch unterschiedlichen Ansätze der neutestamentlichen Linguistik und der damit verbundenen Problematik eingehen zu können, läßt sich wohl folgendes feststellen: Auch entschiedene Befürworter sprechen von einem »unbegründbaren Absolutheitsanspruch«, zu dem die strukturale Analyse tendiere[26], und bemängeln etwa angesichts sehr unterschiedlicher neuerer Erzähltheorien, daß noch kaum Regeln angegeben werden, wie Strukturen von Erzähltexten erhoben werden können[27]. In dem Maß, in dem die Grenzen der historisch-kritischen Arbeitsgänge, die die Texte aus ihrer Entstehung zu verstehen suchen, konzediert wurden, scheint sich auch die Tendenz der Linguistiker abzuschwächen, jene Arbeitsgänge abzuwerten oder gar zu ignorieren – bei der freilich bleibenden Betonung, daß der ganzheitlichen »synchronischen« Betrachtungsweise gegenüber der in die Tiefe der Geschichte vorstoßenden »diachronischen« Untersuchung der Primat zukommt. Andererseits hat das Bemühen, die historisch-kritische Textbefragung durch synchrone Textanalysen zu ergänzen, auf allen Ebenen, vor allem für die Auslegung von Erzähltexten, fast allgemeine Zustimmung gefunden, sofern nur die historisch-kritischen

---

22. Vgl. auch *J. Gnilka,* der bes. die Problematik der postbultmannschen Situation beleuchtet, wie sie im EKK-Mitarbeiterkreis vor allem im Anschluß an P. Stuhlmachers programmatische Ausführungen »Zur Methoden- und Sachproblematik einer interkonfessionellen Auslegung des NT« diskutiert wurde: Methodik und Hermeneutik, in: *ders. (Hg.):* Neues Testament und Kirche *(FS R. Schnackenburg),* Freiburg 1974, S. 458 bzw. 469–475; *R. Schnackenburg:* Die Funktion der Exegese in Theologie und Kirche, in: *ders.:* Maßstab, S. 11–36.

23. Vgl. *M. Sales:* Possiblitiés et limites d'une lecture psychoanalytique de la Bible, NRTh 111, 1979, S. 690 bzw. 712–723.

24. Vgl. der Kürze halber die jetzt bei *H. Zimmermann und K. Kliesch:* Neutestamentliche Methodenlehre, Stuttgart 1982, S. 269f., aufgeführten französischen (bes. J. Delorme, C. Chabrol, »Groupe d'Entrevernes«) und deutschsprachigen Untersuchungen.

25. Z. B. von D. Minguez, Bib 57, 1976, S. 168–191; J. D. Crossan, BR 22, 1977, S. 39–49; V. K. Robbins, Thom 42, 1978, S. 349–372; B. van Iersel, Conc (N) 115, 1979, S. 59–69; R. Riva, RivBib 28, 1980, S. 243–284; E. Arens, ZTheolPhil 56, 1981, S. 47–69.

26. *H. Frankemölle:* Exegese und Linguistik – Methodenprobleme neuerer exegetischer Veröffentlichungen, ThRv 71, 1975, S. 1–11, hier S. 3.

27. *W. Egger:* Nachfolge als Weg zum Leben. Chancen neuerer exegetischer Methoden dargelegt an Mk 10,17–31 (Österr. Bibl. Studien 1), Kloster Neuburg 1979, S. 6–48. Dazu die ausführliche Besprechung von O. Fuchs, Biblische Notizen 10, 1979, S. 48–69.

Methoden als nach wie vor unverzichtbares Instrument gelten. D. Zeller dürfte eine heute beiderseits weithin anerkannte Forderung aussprechen: »Weil biblische Texte ihre Sinnwelt nicht aus sich selbst heraussetzen, sind sie in ihrer Besonderheit nur genetisch zu verstehen. Sie sind auch keine in sich ruhenden Kunstwerke, sondern zu einem bestimmten Zweck geschrieben. Der strukturalistische Zugang ist also nur möglich im Verbund mit anderen exegetischen Methoden.«[28] Bei aller Anerkennung von beachtlichen größeren und kleineren Versuchen, die Verbindung von synchronen und diachronen Analysen zu praktizieren, herrscht der Eindruck vor, daß sich das Bemühen um die das Hochziel der Linguistik – eine methodisch geklärte und wirklich nachprüfbare Interpretation – ermöglichende Korrelation der beiden Zugangswege noch im Experimentierstadium befindet.

4. Zur Gesamtentwicklung im europäischen Raum

Dieselbe kann nur in einem globalen Überblick anvisiert werden. Als Ertrag des jährlichen internationalen »Colloquium Biblicum Lovaniense« verdienen die Bände der BETL, die seit 1971 zunehmend auch evangelische Referate enthalten, besondere Beachtung. Die Thematik reicht von literar-, traditions- und redaktionsgeschichtlichen Untersuchungen der einzelnen Evangelien und der Apg über Qumran und die Apokalyptik bis zur neutestamentlichen Apokalypse[29]. Der Aufbruch der polnischen Exegese manifestiert sich vor allem in den neuen Bänden des seit 1958 in Posen-Warschau (Pallotinum) erscheinenden Kommentars zum Neuen Testament[30], die auch die evangelische Exegese verarbeiten, wie z. B. die häufige Zitierung von Arbeiten E. Käsemanns im Röm-Kommentar von K. Romaniuk belegt. Außer bereits erwähnten erweisen weitere Publikationen den besonderen Rang, den die französische Exegese als »Vorreiterin« im romanischen Raum einnimmt[31]. Auch in den anderen romanischen Ländern meldet sich die neutestamentliche Exegese zunehmend mit kritischeren Beiträgen zu Wort. Gefördert wurde diese Entwicklung durch viele Übersetzungen ausländischer Werke (auch evangelischer Autoren), besonders von Kommentaren und Einleitungen, so vor allem in Italien seitens des Paideia-Verlags in Brescia. Als repräsentativ für die eigene Produktion sei die neueste zweibändige Festschrift für S. Cipriani[32] mit ihrer ansehnlich breiten

---

28. Neue Dimensionen der Schrift und ihrer Auslegung, Lebendige Katechese 2, 1980, S. 18.
29. Der nächste Band mit den Referaten über die »Logia Jesu« (1981) ist im Erscheinen begriffen.
30. Nähere Angaben bei *J. Chmiel:* Die neutestamentliche Exegese in Polen (1945–1977), Analecta Cracoviensia 10, 1978, S. 495–500.
31. Z. B. *J. Delorme (ed.):* Le ministère et les ministères selon le Nouveau Testament, Paris 1974; *J. Schlosser:* Le Règne de Dieu dans les dits de Jésus (Etudes Bibliques), Paris 1980; auch das trotz seiner zweifelhaften Konstruktion beachtliche Analysen enthaltende Werk von *M. E. Boismard* und *A. Lamouille:* L'Evangile de Jean (Synopse des Quatre Evangiles en francais, Tome III), Paris 1977, mit dem sich F. Neirynck und Mitarbeiter in einem Großband von über 428 Seiten auseinandersetzten: Jean et les Synoptiques, BETL 49, 1979.
32. *C. C. Marcheselli (ed.):* Parola e Spirito I–II, Brescia 1982.

Forschergemeinschaft, zu der freilich auch ausländische Autoren beider Konfessionen stoßen, genannt. Beachtlicherweise werden am Päpstlichen Bibelinstitut entstandene Arbeiten neuerdings auch in anderen romanischen Ländern publiziert[33]. In Spanien gesellen sich zu dem älteren Munios-Iglesias und dem auf die Targumforschung ausweichenden A. Diez Macho weitere namhafte Autoren[34], zu denen auch der am Anselmianum in Rom dozierende Montserat-Benediktiner P. Ramon Tragan mit seiner bei J. Schmitt in Straßburg entstandenen Untersuchung »La Parabole du ›Pasteur‹ et ses explications: Jean 10,1–18«[35] zu zählen ist. Zu den vorhandenen Reihen kommen neu hinzu die »Estudios de Nuevo Testamento«[36]. Eine lange spanische Untersuchung von A. Vargas-Machuca über »Die Exegese der Heiligen Schrift an der Theologischen Fakultät Oña (Bilbao) in ihrer Beziehung zu den päpstlichen Dokumenten von 1880–1980«[37] wäre vorkonziliar schwer vorstellbar gewesen, wie übrigens auch eine ökumenische Bibelübersetzung, die »der gemeinsame Text für alle Glieder des Volkes Gottes« sein soll[38]. Schließlich ein summarischer Hinweis auf die reichhaltige Produktion vor allem deutschsprachiger Exegeten. Zu dem nach wie vor beträchtlichen Interesse an den Evangelien und deren theologischer Eigenart kam in den letzten Jahren auch katholischerseits wieder eine zunehmende Beschäftigung mit Paulus (einschließlich der Rezeption der Paulustradition[39]) und den übrigen außerevangelischen Schriften. Die Rückfrage nach Jesus[40] und die übrigens auch von romanischen Autoren aufgenommene Frage nach den Kriterien ursprünglicher Jesusüberlieferung[41]

---

33. Z. B. *E. Nardoni:* La transfiguración do Jesús y el diálogo sobre Elias según el Evangelio de San Marcos: Teologia. Estudios y documentos 2, Buenos Aires 1977.

34. Der von *J. Mateos* u. *J. Barreto* verfaßte (heutigen Anforderungen freilich noch nicht ganz entsprechende) Joh-Kommentar »El Evangelio de Juan«, Madrid 1979, umfaßt fast 1100 S.

35. Roma 1980.

36. Eröffnet mit der provozierenden Studie »El aspecto verbal en el Nuevo Testamento«, Madrid und Valencia 1977, von *J. Mateos.* Eine weitere (Gemeinschaftsarbeit) zu lexikalischen und grammatischen Themen folgte im gleichen Jahr als 2. Bd.

37. EE 56, 1981, S. 579–624.

38. La Biblia interconfessional: Nuevo Testamento, Madrid 1978.

39. Vor allem *P. Trummer:* Die Paulustradition der Pastoralbriefe, Frankfurt 1978; *K. Kertelge (Hg.):* Paulus in den neutestamentlichen Spätschriften (QD 89), Freiburg 1981.

40. *K. Kertelge (Hg.):* Rückfrage nach Jesus. Zur Methodik und Bedeutung der Frage nach dem historischen Jesus (QD 63), Freiburg 1974 (mit einem grundlegenden Referat von F. Hahn). Zur Infragestellung der heutigen Jesusforschung durch die beiden Brüder *R. und W. Feneberg:* Das Leben Jesu im Evangelium (QD 88), Freiburg 1980, vgl. W. G. Kümmel, ThR 46, 1981, S. 329–333.

41. *A. Vargas-Machuca:* Introductión a los Evangelios Sinopticos. Los métodos historico-criticos, Madrid 1975; *F. Lambiasi:* L'autenticità storica dei vangeli. Studio di criteriologia (Studi biblici 4), Bologna 1976; vgl. auch *R. Latourelle:* L'accès à Jésus par les évangiles, histoire et hermeneutique (Recherches 20. Théologie), Tournai und Montreal 1978. Über das Problem der Jesusforschung informieren auch gut *C. Barbaglio u. a.:* Conoscenza storica di Gesù, Brescia 1978.

führte trotz zahlreicher ergiebiger Untersuchungen zur Verkündigung und Geschichte Jesu[42] zu keinem Jesusbuch, das sich den Versuchen einer zusammenfassenden Darstellung etwa von G. Bornkamm oder auch von T. Holtz voll zur Seite stellen ließe[43]. Mit der Rückfrage nach Jesus verband sich inzwischen stärker als zuvor die Frage nach der Begründung und Entfaltung der neutestamentlichen Christologie (im biblisch umfassenden Sinne des Wortes), die aber, abgesehen von Monographien von Systematikern wie W. Kasper, H. Küng und E. Schillebeeckx, über die Behandlung von Teilfragen und Beiträgen zur Christologie einzelner Schriften und Schriftengruppen hinaus erst kürzere Zusammenfassungen[44] zeitigte. Als großangelegter Entwurf ist die mit einem stattlichen ersten Band sich vorstellende Trilogie »Die neutestamentlichen Theologien und Jesus Christus« von W. Thüsing anzumelden[45]. Mit der übergreifenden Diskussion weiterer Grundthemen wie der Gottes- und Schöpfungsverkündigung, der Ekklesiologie, der Pneumatologie, der Anthropologie und des Ethos sowie der Heilsvollendung wurden weitere beträchtliche Vorarbeiten für eine neutestamentliche Theologie geleistet. Mit ihren evangelischen Kollegen wissen eben auch die katholischen Neutestamentler sehr wohl um die vielverhandelte Problematik der Aufgabe und Anlage einer Theologie des Neuen Testaments. Ich brauche nur einige Stichworte zu nennen: die Rezeption der vorösterlichen Jesusüberlieferung, die interpretatio Christiana des Alten Testaments, die Vielfalt und Einheit der zugleich jeweiligen Verkündigungsabsichten entsprechenden Konzeptionen bis hin zur Forderung der kritischen Erfragung der »Mitte« des Neuen Testaments. Nach der 1963 erschienenen Bestandsaufnahme und Orientierungshilfe von R. Schnackenburg[46] verdanken wir K. H. Schelkle die einzige neuere Gesamtdarstellung der »Theologie des Neuen Testaments«[47], de-

---

42. Über die »Jesusforschung« insgesamt (seit 1965) informiert bestens W. G. Kümmel in mehreren Jahrgängen der ThR 40 (1975) bis 47 (1982). Auf »Katholische Jesusforschung im deutschen Sprachraum« beschränkt sich J. Pfammatter in Bd. 7 der von den Theol. Fakultäten Chur und Luzern hg. »Theologischen Berichte«, Zürich 1978, S. 101–148.

43. G. Bornkamm: Jesus von Nazareth (Urban-TB 19), Stuttgart [12]1980; T. Holtz: Jesus aus Nazaret, Berlin 1979 und Einsiedeln 1981. Auf katholischer Seite ist nach J. Blank: Jesus von Nazareth, Freiburg 1972, [3]1974, zu nennen: H. Leroy: Jesus, Überlieferung und Deutung (EdF 95), Darmstadt 1978; weniger zureichend: W. Beilner: Jesus ohne Retuschen, Graz 1974; C. Perrot: Jésus et l'histoire, Paris 1979.

44. So J. Gnilka: Jesus Christus nach frühen Zeugnissen des Glaubens, München 1969; R. Schnackenburg: Christologie des Neuen Testaments, in: J. Feiner (Hg.): Mysterium Salutis III, 1, Einsiedeln 1970, S. 227–388; ders.: Der Ursprung der Christologie, in: Maßstab, S. 37–61; J. Ernst: Die Anfänge der Christologie (SBS 57), Stuttgart 1972; H. Langkammer: U podstaw chrystologii Nowego Testamentu, Warschau 1976; F. J. Schierse: Christologie, Düsseldorf 1979; J. Blank: Der Jesus der Evangelien. Entwürfe zur biblischen Christologie, München 1981. Repräsentativ für die nordamerikanische Exegese dürfte die oben zitierte Studie von J. A. Fitzmyer sein.

45. I: Kriterien, Düsseldorf 1980

46. Neutestamentliche Theologie. Der Stand der Forschung, München [2]1965

47. I–IV, 2, Düsseldorf 1968–1976.

ren »systematische, am Neuen Testament orientierte Fragestellungen die Rekonstruktion als solche zurücktreten und insgesamt die Geschichte des Urchristentums für eine Theologie des Neuen Testaments weithin belanglos erscheinen (lassen)«[48].

Mit die gewichtigsten Leistungen sind die neueren Kommentare, die in den bekannten Reihen HThK[49], EKK[50], RNT[51], ÖTK[52], EtB[53], SBi[54], AncB[55] erschienen sind. Die einander rasch folgenden, meist erweiterten Neuauflagen von HThK bezeugen das große Interesse, das dieselben über den katholischen Raum hinaus gefunden haben. Bei allem gebotenen Verzicht auf eine Würdigung, die die Kommentare aller genannten Reihen verdienen würden, sei doch das Unikum erwähnt, daß in kurzer Zeit drei respektable Mk-Kommentare vorgelegt wurden, von R. Pesch, J. Gnilka und J. Ernst, der die Kommentare der beiden anderen noch berücksichtigen konnte. Von den beiden größten kann der um 400 Seiten umfänglichere Kommentar Peschs, der sich durch eine methodisch besonders durchsichtige Gliederung auszeichnet, Gnilkas Kommentar hinsichtlich erklärungsrelevanter Materialien und besonders der Bibliographie noch überbieten. Im Vergleich zu Gnilka, der wie meist auch Ernst bezüglich des Verhältnisses von Tradition und Redaktion eine Mittelposition bezieht und bezüglich der Historizität stärker offenen Fragen Raum gibt, hat der entscheidungswilligere Kommentar von Pesch vor allem aufgrund der sensationellen Hypothese, daß Markus mit 8,27–33; 9,2–13.30–35; 10,1.32–34.46–52; 11,1–23.27–33; 12,1–12.13–17.34c.35–37.41–44; 13,1–2; 14,1–16,8 wahrscheinlich die griechische Übersetzung der vor 37 bzw. 36 n. Chr. in Jerusalem aus noch unmittelbarer Erinnerung entstandenen aramäischen Passionsgeschichte wiedergebe[56], besonderes Aufsehen und kritische Stellungnahmen aus beiden Konfessionen ausgelöst[57]. Die volle theologische Relevanz dieser

48. *O. Merk:* Art. Biblische Theologie II, TRE VI, 1980, S. 468.

49. R. Schnackenburg (1–3 Joh; Joh I–III); K. H. Schelkle (1 u. 2 Petr, Jud); F. Mußner (Jak; Gal); H. Schürmann (Lk I); J. Gnilka (Eph; Phil; Phlm); H. Schlier (Röm); R. Pesch (Mk I–II); G. Schneider (Apg I–II).

50. N. Brox (1 Petr); W. Trilling (2 Thess); J. Gnilka (Mk I–II); R. Schnackenburg (Eph).

51. An Neubearbeitungen der zu fachwissenschaftlichem Rang aufgestiegenen Reihe erschienen: O. Kuß (Röm: Lfg. 1–3); N. Brox (Past); J. Ernst (Phil, Phlm, Kol, Eph; Lk; Mk).

52. G. Schneider (Lk I–II); A. Weiser (Apg I); F. Mußner (Eph).

53. *C. Spicq:* Les épîtres pastorales. I. II, Paris ⁴1969.

54. *C. Spicq:* Les épîtres de Saint Pierre, Paris 1966; *P. Dornier:* Les épîtres pastorales, Paris 1969; *J. Cantinat:* Les épîtres de Saint Jacques et de Saint Jude, Paris 1973; *A. W. Viard:* Saint Paul, Épître aux Romains, Paris 1975; *C. Spicq:* L'Épître aux Hébreux, Paris 1977.

55. *R. E. Brown:* The Gospel according to John, New York I 1966. II 1970; *J. M. Ford (ed.):* Revelation, New York 1975; *J. A. Fitzmyer:* The Gospel according to Luke (The Anchor Bible 28), New York 1981.

56. Eine gemeinverständliche Zusammenfassung bietet sein Bändchen »Das Evangelium der Urgemeinde. Wiederhergestellt und erläutert«, Freiburg 1979.

57. Am ausführlichsten (41 S.) zu Mk 8,27–16,20 F. Neirynck: ALBO V, 38, 1979; ders. zu Mk I: ETL 53, 1977, S. 153–181.

Umfangs- und Altersbestimmung[58] ergibt sich erst aus der Einzelauslegung dieses Urevangeliums in Verbindung mit der Rekonstruktion beträchtlicher Jesus-Daten aus der ersten Hälfte des Evangeliums. Pesch erhebt der Sache nach eine ausgesprochen explizite Christologie des irdischen Jesus, die die fundamentalen nachösterlichen Aussagen geradezu vorwegnimmt. Dieses Ergebnis ist gewiß schon Grund genug, das neue Mk-Konzept noch eingehender zu prüfen, nicht zuletzt auch, was die bei der Rekonstruktion des Urevangeliums zur Verwendung kommenden Kriterien betrifft.

II.

1. Die Frage nach dem heilsmittlerischen Todesverständnis Jesu

Die evangelischerseits längst geführte und weithin ausgestandene Diskussion dieser Frage[59] ist katholischerseits erst im letzten Jahrzehnt ausgebrochen und mit der umstrittenste Punkt der Jesus-Forschung geworden[60]. Sie wurde vor allem durch H. Schürmann angeregt, der seine 1973 publizierte Untersuchung »Wie hat Jesus seinen Tod bestanden und verstanden?«[61], zugleich in Auseinandersetzung mit anderen katholischen Beiträgen[62], des weiteren begründete und auch modifizierte[63]. Nachdem ich selbst 1964 und 1970[64] auf die Problematik eines vorgängigen Wissens Jesu um ein heilseffizientes Sterben verwiesen und H. Patsch 1972 seine Befürwortung der Wahrscheinlichkeit, daß Jesus seinem Tod Sühnekraft zuschrieb, mit der ausdrücklichen Konzession eines »qualitativen Sprunges« verbunden[65] hatte, verschärfte P. Fiedler 1974 die Diskussion noch beträchtlich durch das Bedenken, ob es als wahrscheinlich gelten könne, daß Jesus auch nur angesichts des Todes auf den Gedanken kam, hinter seine pointierte Proklamation des

---

58. Zustimmend zu Herkunft und Umfang E. Ruckstuhl: Heiße Eisen neutestamentlicher Forschung, SKZ 47, 1979, S. 725 f.

59. Sie wurde 1980 auch von P. Stuhlmacher und M. Hengel wieder aufgenommen, dazu W. G. Kümmel, ThR 45, 1980, S. 334–337.

60. Vgl. auch M.-L. Gubler: Die frühesten Deutungen des Todes Jesu. Eine motivgeschichtliche Darstellung aufgrund der neueren exegetischen Forschungen (OBO 15), Göttingen 1977.

61. In: P. Hoffmann (Hg.): Orientierung an Jesus, Freiburg 1973, S. 325–363.

62. Bes. von J. Gnilka: Wie urteilte Jesus über seinen Tod?, in: K. Kertelge (Hg.): Der Tod Jesu (QD 74), Freiburg 1976, ²1980, S. 13–50, der seine daselbst (S. 50) geäußerte Auffassung in Mk II, 248 f. aber dahin korrigierte, daß wohl Jesus selbst sein Sterben als »Heilstod« verstand; A. Vögtle: Todesankündigungen und Todesverständnis Jesu, ebd., S. 51–113; Der verkündigende und verkündigte Jesus »Christus«, in: J. Sauer (Hg.): Wer ist Jesus Christus?, Freiburg 1977, ²1980, S. 56–70 bzw. 79; P. Fiedler (s. u.) u. R. Pesch (s. u.).

63. Jesu ureigner Tod, Freiburg 1975, ³1979; Jesu ureigenes Todesverständnis. Bemerkungen zur »impliziten Soteriologie« Jesu, in: J. Zmijewski und E. Nellessen (Hg.): Begegnung mit dem Wort (FS H. Zimmermann, BBB 53), Bonn 1980, S. 273–309; Jesu Todesverständnis im Verstehenshorizont seiner Umwelt, ThGl 70, 1980, S. 141–160.

64. In: ÖKG I, Mainz und München 1970, ³1980, S. 21 f.

65. Abendmahl und historischer Jesus (CThM Reihe A. Bd. 1), Stuttgart 1972, S. 219.

schon im Alten Testament bezeugten absoluten Vergebungswillens Gottes zurückzugehen und sein Sterben als von Gott gefordertes Sühnesterben zu verstehen, was sogar die Frage einer Desavouierung seiner öffentlichen Heilsverkündigung aufwerfen lasse[66]. Unter den katholischen Versuchen, Jesus beim letzten Mahl die Heilsbedeutung seines Sterbens bekunden zu lassen[67], dürfen die markanten Hypothesen von H. Schürmann und R. Pesch als die beiden extremen Positionen gelten.

Den Eindruck der ursprünglichen Fassung seiner Hypothese, als habe Jesus die Heilsbedeutung seines Todes speziell im stellvertretenden Sühnetod erblickt, bezeichnet Schürmann in der FS Zimmermann als »eine Verengung« – »weil das Heil der Basileia ja doch viel umfassender beschrieben werden kann« (279 mit A. 29). Er hält aber daran fest, daß die Heilsbedeutung des Todes Jesu, dessen »aktuelle Heilseffizienz« freilich erst aufgrund der Auferstehung Jesu erkennbar wurde, »im bewußten proexistenten Todesdienst« des absoluten eschatologischen Heilbringers »*potentiell* grundgelegt« war und in »den dienenden und gedeuteten Gebegesten Jesu beim letzten Abschiedsmahl ... drastisch-bildhaft (und in Begleitworten nur andeutend), aber doch *direkt thematisiert*« wurde (300.305). So entschieden Schürmann begleitende Deuteworte postuliert, deren vermutlich älteste Form Lk 22,19–22a vorliege, betont er, daß wir ihren genuinen Wortlaut nicht kennen (299.301–304). Ob Jesus seinen Tod direkt als stellvertretenden Sühnetod verstand, sollten wir nach Schürmann »aufgrund der Dienstgesten seines letzten Mahles zumindest offen lassen und für möglich halten ...« (304). Zugleich trägt er dem vom neutestamentlichen Befund her erhobenen Einwand Rechnung mit der Erklärung, Jesu Abendmahlsgesten und Begleitworte hätten das Wissen um die stellvertretende Sühneleistung »auch nicht so deutlich artikuliert haben (müssen), daß diese Deutung des Sterbens Jesu von da an unverlierbarer Besitz der Jünger gewesen wäre« (302). »Über Jesu Abendmahlsworte wissen wir also mit Sicherheit nicht mehr, als was die Abendmahlsgesten aussagten: das eschatologische Heil kommt staurologisch zu« (304). Da das »proexistente Grundverhalten Jesu ›hyper‹ ... in seiner Einmaligkeit und Einzigartigkeit sich vorösterlich kategorial überhaupt nur gänzlich unzulänglich hätte artikulieren lassen«, »sollten wir auch nicht lange nach expliziten soteriologischen Äußerungen Jesu suchen«, wie wir uns ja auch »abgewöhnt« hätten, »in den genuinen Worten Jesu explizite Hoheitstitel zu suchen, so sehr Jesus sich hoheitlich thematisiert hat«[68].

---

66. Sünde und Vergebung im Christentum, Conc(D) 10, 1974, S. 569–571; *ders.:* Jesus und die Sünder (BET 3), Frankfurt 1976, S. 277–281.
67. Zu solchen vgl. *R. Pesch:* Das Abendmahl und Jesu Todesverständnis (QD 80), Freiburg 1978, S. 13–21, und jetzt *P. Fiedler:* Probleme der Abendmahlsforschung, ALW 24, 1982, S. 190–323. Zu den beiden unterschiedlichen Rekonstruktionen des Abendmahlsgeschehens von H. Merklein (1977) und E. Ruckstuhl (1981), der seinen Vorschlag in eingehendem diakritischem Gespräch mit R. Pesch begründet, vgl. jetzt W. G. Kümmel, ThR 47, 1982, S. 157–159.
68. Jesu Todesverständnis, S. 157f.

Während Schürmann die für Peschs Hypothese fundamentale Paschaliturgie nicht voraussetzt und bezüglich der Abendmahls*worte* den Rekurs auf die Mk-Fassung traditionsgeschichtlich nicht mitzumachen vermag (302 A. 128), ist nach R. Pesch[69] in Mk 14,22–25 der »älteste ursprüngliche Bericht vom letzten Mahl Jesu, dem Paschamahl in der Nacht seiner Auslieferung (Mk 14,12–26)« zu erblicken, demgegenüber der ebenfalls schon in der aramäisch sprechenden Urgemeinde abgefaßte »älteste, ursprüngliche kultätiologische Text der christlichen Herrenmahlfeier« von 1 Kor 11,23 b–25 sekundär, nämlich aus jenem ableitbar sei (59.66 bzw. 21–66). Im weiteren Unterschied zu Schürmann läßt Pesch Jesus mit den die Gebegesten begleitenden Deuteworten von Mk 14 in einer dem Denk- und Verständnishorizont der Jünger angemessenen Weise ausdrücklich die sühne- und bundstiftende Kraft seines Sterbens eröffnen (69–102). »Nach seinem eigenen, in den Deuteworten des letzten Mahles ausgesprochenen Todesverständnis stirbt Jesus den Sühnetod für die, die ihn verwerfen, für ›die vielen‹, für ganz Israel, dem Gott sich durch die Auslieferung seines Sohnes, des Menschensohnes (Mk 9,31 a), neu verpflichtet« (108). Ohne diese geschichtliche Vorgabe bleibe »die nachösterliche Entwicklung der Jesusbewegung historisch unverständlich« (114).

Aus der Problematik, mit der die beiden Autoren ringen[70], sei hier nur ein Punkt beleuchtet, nämlich die unterschiedliche Weise, in der sie Jesu heilsmittlerisches Todesverständnis in seine Verkündigung einordnen. Schürmann meint, »daß Jesus sein Basileia-Angebot eigentlich von Anfang an, jedenfalls sehr früh koexistent, wenn auch noch unausgesprochen, mit dem Gedanken des Todes [sc. als Mittel der Heilserlangung] verkündet hat«, weshalb »man auch nicht (mit H. Patsch, P. Fiedler und R. Pesch) einen ›qualitativen Sprung‹ (benötigt). Nicht einmal einen neuen, zu seinem bisherigen Wirken hinzukommenden heilsmittlerischen Akt, weil Jesu Proexistenz sein ›Wesen‹ war und weil die Offenheit Jesu ihn dem Heilswillen des Vaters gegenüber für beide Möglichkeiten bereit sein ließ« (292). Oder wie Schürmann letzteres noch pointierter formuliert: »Jesus lebte ... total offen auf den Ratschluß Gottes hin und überließ es dem Vater, wie dieser der Welt sein Heil schenken werde: durch sein Wirken und Verkünden oder – über seine eigene Leiche hinweg – durch seinen Tod.«[71] Jesu Bereitschaft für beide Möglichkeiten bedeutet indes auch für Schürmann keinen völligen Optionsverzicht, da er Jesus vor dem Abschiedsmahl ja von der einen und nur der einen der beiden Möglichkeiten der Heilsvermittlung sprechen läßt. Und höchstwahrscheinlich will er dahin verstanden werden, Jesus selbst habe sich bis zuletzt darum bemüht, Israel für das

---

69. Das Abendmahl; Die Überlieferung der Passion Jesu, in: *K. Kertelge (Hg.)*: Der Tod, S. 148–173; Mk II, bes. S. 364–377; Wie Jesus das Abendmahl hielt, Freiburg 1977, ³1980. Soweit nicht anders vermerkt, zitiere ich nach der QD: Das Abendmahl (s. Anm. 67).

70. Zu den verschiedenen Aspekten des Problems und der beiden Hypothesen im bes. nimmt jetzt P. Fiedler, Probleme, S. 192–217, Stellung, der noch seine eigene Hypothese »Zur nachösterlichen Entwicklung« (S. 215–220) anschließt.

71. Jesu Tod – unser Leben. Ein Versuch zu verstehen (Antwort des Glaubens 18), Freiburg 1980, S. 6.

von ihm verkündete Heilsangebot zu gewinnen und die Möglichkeit des Heilstodes für den Fall des Scheiterns als zweites Projekt in petto gehabt und bis zum Abschiedsmahl behalten. Impliziert aber nicht schon das eine bedenkliche Spannung, daß Jesus nämlich die eine Möglichkeit unbestreitbar als endgültige Heilsaktion Gottes proklamiert, also doch so redet, als sei die Annahme und Weitergabe der vergebenden Liebe Gottes der einzige Weg zur Erlangung des Heils der Gottesherrschaft, obwohl er »eigentlich von Anfang an, jedenfalls sehr früh« weiß, daß Gott noch eine zweite Möglichkeit der Heilsvermittlung bereithält? Auch dieses Bedenken scheint Schürmann ausräumen zu wollen, eben mit dem Argument, aufgrund seines proexistenten Wesens und Verhaltens habe Jesus seinen eventuellen Heilstod nicht als einen gegenüber seinem öffentlichen Wirken »neuen« heilsmittlerischen Akt zu beurteilen brauchen.

Nun liegt die eigentliche Schwierigkeit anerkanntermaßen nicht in der Annahme, daß Jesus »mit wachsender geschichtlicher Erfahrung mit der Wahrscheinlichkeit seines Todes« rechnete und diese »am Ende« sich zur »moralischen Gewißheit« verdichtete[72] – Jesu Bereitschaft, für seine Gottes- und Gottesreichbotschaft auch mit seinem Tod einzustehen, wird ohnehin von kaum jemandem bestritten. Warum begnügt sich Schürmann aber nicht damit, Jesus erst aufgrund der Erfahrung, daß sich Israel »in seiner Mehrzahl« seiner Botschaft versagt (294), bzw. in Verbindung mit der Erwartung seines wahrscheinlichen oder sicheren Todes diesen als weitere Möglichkeit der Heilsvermittlung erkennen zu lassen? Warum liegt ihm daran, daß Jesus »eigentlich von Anfang an« auch diese zweite Möglichkeit in petto hatte? Im ersten Fall ließe sich nicht bestreiten, daß es sich bei der Konzeption der zweiten Möglichkeit um eine Revision des ersten und einzigen von Jesus vorgesehenen Modus der Heilsvermittlung gehandelt und der neue Modus als »qualitativer Sprung« zu gelten hätte. Um dieser Konsequenz zu entgehen, beruft sich Schürmann auf das Jesu Wirken von Anfang an kennzeichnende und bis in den Tod aktiv durchgehaltene ›proexistente‹, liebende und dienende Grundverhalten des »Repräsentanten der Basileia«, des »absoluten und endgültigen Heilbringers« (296 u. ö.) als inneren Grund dafür, daß Jesus »eigentlich von Anfang an« die zweite Möglichkeit der Heilsvermittlung mit der Basileia-Verkündigung zusammendenken konnte, »zumal Jesu Basileia-Verkündigung der Gedanke an das Scheitern inhärent gewesen zu sein scheint« (284). Letztere Formulierung müßte dann eigentlich dahin verdeutlicht werden, Jesus habe »von Anfang an« mit dem Scheitern seines Heilsangebots gerechnet, daß sich dieses wegen der Ablehnung Israels somit als Fehlschlag erweisen könne. Ein anderer Grund dafür, daß er von Anfang an ein heilsmittlerisches Sterben als mögliche Alternativlösung ins Auge faßte, ließe sich

---

72. Jesu Todesverständnis, S. 144.142; doch vgl. jetzt P. Fiedler, Probleme, S. 204f. L. Oberlinner, der vor allem eingehend zum Problem einer historischen Begründung der »Todeserwartung und Todesgewißheit Jesu« (SBB 10), Stuttgart 1980, Stellung nahm, rechnet mit der Möglichkeit, daß die Todesgewißheit Jesu »bis zum Schluß eben nur eine ›Gewißheit‹ unter dem Vorbehalt des ›Wenn‹ des Willens Gottes war« (S. 165).

ja kaum plausibel machen. Da man Jesus doch mit der entschiedenen Überzeugung von der Gültigkeit seines Heilsangebots in Israel antreten lassen muß, darf man aber bezweifeln, ob selbst die – von Schürmann nicht behauptete – vorgängige Erwartung, die religiösen Führer würden ihn wegen seiner Botschaft sogar zu Tode bringen, für ihn schon Grund genug gewesen wäre, jene Alternativlösung zu konzipieren. »Alternative« wäre für Schürmann freilich ein mißverständlicher Ausdruck. Denn: »Nicht ein neuer, heilsmittlerischer Akt ist verlangt, wenn die proexistente Hingabe durchgehalten wird, sondern nur eine Anpassung des proexistenten Aktes an die neu zukommende Martyriumssituation« (292 A. 88).

Pesch, der Jesus die Konzeption des Heilstodes erst aus der Erfahrung seiner Ablehnung gewinnen läßt (103–109), vermeidet zwar die Unwahrscheinlichkeit, die Schürmanns Tendenz, Jesus »von Anfang an« mit einer zweiten Möglichkeit der Heilsvermittlung rechnen zu lassen, anhaftet. Er gerät aber in ähnliche Schwierigkeiten wie Schürmann und muß der Sache nach die höchst zweifelhafte Annahme in Kauf nehmen, Jesus habe sein an Israel ergangenes Heilsangebot am Ende als gescheitert betrachtet, so sehr er selbst freilich darauf besteht, daß Jesus mit seiner Gottesreichverkündigung nur »scheinbar«, »in Wahrheit aber Israel selbst« und nur Israel gescheitert ist (107). Die den Heilsmittler bewegende Problematik kommt ihm zufolge beim (letzten) Jerusalem-Besuch zur Sprache, bei dem Jesus die Hauptstadt mit seiner Basileia-Botschaft konfrontieren will, weil hier die Entscheidung fallen muß[73]. Hier habe Jesus in der das Strafgericht Gottes androhenden Parabel Mk 12,1–9 den »Konflikt« exponiert, in den er angesichts seiner Ablehnung in Israel geriet: »Wird Israel nicht gerade durch die Abweisung des letzten Boten, der Gottes unbedingten Heilswillen verkündigt, verworfen? Wird der eschatologische Heilsmittler so geschichtlich-faktisch zum Unheilsmittler?« (105) »Jedenfalls:« – schreibt Pesch hier weiter – »Der Konflikt, in den Jesus gerät, ist durch die faktische Situation seiner Ablehnung in Israel bedingt, auch der theologische Konflikt zwischen dem Gott des Heils und dem Gott des Gerichts, den Jesus überwunden zu haben schien, der aber angesichts seiner Verwerfung, angesichts seiner beabsichtigten Tötung neu entsteht« (106). »Diesen Konflikt ... löst Jesus, indem er *seine Sendung als Heilssendung bis in den Tod* durchhält und seinen Tod als den Tod des eschatologischen Heilsboten, als Heils- = Sühnetod für Israel versteht« (107).

Diese Formulierungen sprechen für Peschs Annahme, die sichere Erkenntnis der Notwendigkeit des Sühnesterbens habe Jesus erst bei seinem letzten Bemühen um die Hauptstadt gewonnen. Seit wann Jesus mit jenem »Konflikt« rechnete, ob der Verfasser Jesus schon in Verbindung mit seinen früheren Voraussagen, daß er als der prophetische Messias, d. h. der Menschensohn und der Gerechte katexochen, den Tod erleiden (und aus demselben erhöht werden) wird, an die Möglichkeit eines notwendigen Sühnesterbens für Israel denken läßt, lassen seine diesbezüglichen Ausführungen nicht erkennen. In dieser Hinsicht schafft auch seine Fest-

---

73. Das Evangelium, S. 105.

stellung keine Klarheit, es sei »richtig und voll verständlich«, daß »Jesus nicht schon mit seiner Verkündigung der Gottesherrschaft auf seinen Tod als notwendigen Sühnetod hinwies«, weil er damit seiner Umkehrpredigt »den eschatologischen Ernst genommen hätte«[74]. Mit dieser voll zutreffenden Begründung provoziert freilich auch er die Frage, ob man Jesus diese Spannung zwischen Reden und Wissen unbedenklich zuschreiben darf. Insofern er Jesus das Sühnesterben aber allem nach nicht von Anfang an als Möglichkeit im Blick haben, sondern erst im Dialog mit der Geschichte konzipieren läßt, und zwar eindeutig als Notlösung – ohne das Sühnesterben wäre der Heilsmittler für Israel zum Unheilsmittler geworden! –, rechnet ihn Schürmann zu Recht zu den Autoren, die einen »qualitativen Sprung« behaupten. Von einem solchen spricht Pesch selbst freilich nicht und will auch er offensichtlich nicht gesprochen haben. Deshalb bemüht er sich ebenso wie Schürmann, den »qualitativen« Unterschied zwischen den beiden Modi der Heilsvermittlung – Gottesreichverkündigung und Sühnesterben – zu minimalisieren, wenn nicht gar aufzuheben: »Jesu Sühnetod konkurriert nicht mit seiner Gottesreichverkündigung, sondern ist deren sie selbst aufgipfelnde, in eine neue heilsgeschichtliche Lage überführende Konsequenz: die Stiftung des Neuen Bundes« (109). Warum er sich dazu berechtigt sieht, wenigstens implizit der Vorstellung eines qualitativen Sprungs zu wehren, wird aus seiner Begründung der Notwendigkeit des Sühnesterbens ersichtlich, die s. E. zugleich Fiedlers prinzipielles, nämlich theo-logisches Bedenken entkräftet: Hätte nicht der Tod des »Bote(n) der Liebe des Vaters« – als »souveränes Werk der ›Feindesliebe‹ Gottes« – »in der Situation des endzeitlichen Abfalls Israels den Sündern (= ganz Israel) Gottes unbedingtes Gnadenangebot« vermittelt, dann hätte statt des »Gottes der Gnade« (= der Liebe) der »Gott des Gerichtes« das letzte Wort behalten (105–109). Die Stichhaltigkeit dieser in sich stringenten Begründung hängt freilich davon ab, ob Jesus wirklich in den vorausgesetzten Konflikt geriet, weil in seiner Sicht (spätestens beim letzten Mahl) »ganz Israel« sich seiner Botschaft endgültig verweigert habe und deshalb – einschließlich der Zwölf bzw. Elf (müßte man hinzufügen), da diesen »in den symbolisch gedeuteten Gaben des Messias« die »Sühne« zugeeignet wird (102) – dem gnadenlosen Gericht verfallen ist und insofern eben doch nicht nur Israel gescheitert ist, sondern auch er selbst den von ihm verkündeten Heilsweg als Fehlschlag erkannte und anerkannte.

Die beide scharfsinnigen Hypothesen leitende Tendenz wird fast durchweg, vor allem katholischerseits gutgeheißen[75]. Bei Schürmann wird vielfach dessen Vorsicht gelobt, bei Pesch die mutige Zielstrebigkeit, mit der er in kombinierten Arbeitsgängen[76] die vorherrschende Skepsis zu überwinden sucht. Es verwundert nicht, daß

---

74. Wie Jesus, S. 83 f.

75. Von J. P. Galvin SJ bes. Schürmanns Hypothese, die im Unterschied zu Peschs ja die Einbeziehung der Heiden in die Heilseffizienz ermöglicht, die aber auch noch »unvollendet« sei: Jesus' Approach to Death, TS 41, 1980, S. 716–729.

76. Die volle Kombination wird indes auch vermißt, da das gesamte Problem des Verhältnis-

Schürmann für Pesch bezüglich der Abendmahlsworte zu skeptisch ist und Pesch nach Schürmann, der bis auf den auch seine eigene Hypothese treffenden Punkt W. G. Kümmels Kritik an Pesch teilt, »zuviel weiß«[77]. Außer kritischen Voten beider Konfessionen[78] zu dem freilich vielzitierten und zur Erwägung gestellten Lösungsvorschlag Schürmanns wären katholische Autoren zu nennen, »die zwar eher dazu zu tendieren scheinen, daß nicht bereits Jesus seinem Sterben irgendeinen heilsmittlerischen Sinn zugesprochen hätte, die sich aber jeweils auf Schürmanns Auslegung berufen«[79]. Deren Problematik scheint auch sein Schüler und heutiger Bischof J. Wanke insinuieren zu wollen. Er erklärte jüngst: »Historisch war es sicherlich so, daß die soteriologische Komponente des Sterbens Jesu in Konsequenz des Auferstehungsgeschehens erkannt wurde«, ohne, wie P. Fiedler vermerkt, im ganzen Zusammenhang »von daraufhin ausdeutbaren Abendmahlsgesten (oder eben gar anderen -worten als von Mk 14,25)« zu reden[80]. Die Reaktionen auf Peschs Hypothese reichen von »im ganzen« – nämlich trotz möglicher Einzelbeanstandungen – »überzeugend«[81] und der Zustimmung zu wesentlichen Punkten[82] über die Meinung, es handle sich um einen höchst beachtlichen »möglichen«, wegen zweifelhafter grundlegender Punkte jedoch unbewiesenen Lösungsvorschlag,[83] bis zu eindeutiger Ablehnung[84]. Die angestrengten Versuche, Jesu heilsmittlerisches Todesverständnis zu sichern, dürften zumindest dazu beitragen, den Blick für die Problematik zu schärfen. Daß und in welchem Sinn Jesus sein Sterben

---

ses der vier Abendmahlsberichte des Neuen Testaments »wiederum auf rein literarischer Ebene abgehandelt (wird)«. So bes. F. Hahn in seiner ausführlichen Rezension: TRv 76, 1980, S. 267f.

77. Schürmann in: FS Zimmermann, S. 286 Anm. 61 und S. 294 Anm. 93.

78. Vgl. W. G. Kümmel, ThR 41, 1977, S. 345; 43, 1978, S. 259f.; 45, 1980, S. 333f.; 47, 1982, S. 160f.; P. Fiedler, Probleme, bes. S. 204f.; 208–211. Im Hinblick auf die theologische Akzentuierung des Wirkens und der Botschaft Jesu plädiert auch L. Oberlinner – damit der Sache nach sich von Schürmann wie von Pesch distanzierend – dafür, daß die heilsmittlerische Deutung des Todes Jesu in einer ›Antwort‹ Gottes auf diesen Tod, konkret also erst im Glauben an die durch Gott gewirkte Auferstehung Jesu begründet war: Todeserwartung, S. 166f.

79. P. Fiedler, a.a.O., S. 211 bzw. 211–213.

80. A.a.O., S. 212.

81. H. Giesen: ThG(B), 23, 1980, S. 60.

82. So I. H. Marshall: Last Supper and Lord's Supper, Exeter 1980, S. 35. 40f.92, und T. Holtz, demzufolge Pesch trotz »doch wohl etwas zu sicher« vorgetragener Lösungen mit Recht die Vereinbarkeit von Gottesreichverkündigung und Sühnetodverständnis sowie Mk 14,22–25 als historisch im wesentlichen zuverlässig befürwortet: TLZ 106, 1981, S. 812f. Der These von Jesu »Konflikt« und dessen Lösung scheint auch E. Ruckstuhl zuzustimmen: Heiße Eisen, S. 729f.

83. R. J. Daly SJ, BTB 11, 1981, S. 24–26; ders.: CBQ 43, 1981, S. 310.

84. So W. G. Kümmel, ThR 43, 1978, S. 262–264; 45, 1980, S. 332f.; 47, 1982, S. 159f.; F. Hahn, TRv 76, 1980, S. 265–272; J. Hainz, MThZ 31, 1980, S. 149–152; P. Fiedler, Probleme, bes. S. 184–202.206–208.

als heilseffizient verstand und kundtat, kann aber auch katholischerseits noch keineswegs als entschieden gelten.

2. Paulus und das »Gesetz«

Die Beachtung der Rechtfertigungsverkündigung als zentralem Anliegen des Apostels Paulus verdankt die katholische Exegese wesentlich der von den evangelischen Kollegen geführten Diskussion. Namen wie H. Schlier und K. Kertelge[85] markieren die Ansatzpunkte für die Aufnahme dieser Diskussion, verständlicherweise mit Schwerpunkt im deutschsprachigen Raum, wie nicht zuletzt die Arbeit am EKK bezeugt. Positionen wie die von G. Bornkamm, E. Käsemann, F. Hahn, U. Wilckens und seines Widerparts G. Klein[86] könnten nahezu ebenso auch unsererseits vertreten werden, wie beispielsweise die Röm-Kommentare von O. Kuss und H. Schlier erkennen lassen[87]. Die vor allem von G. Strecker[88] und U. Wilckens[89] eingebrachte neue Perspektive, wonach der Rechtfertigungsgedanke die paulinische Verkündigung nicht von Anfang an geprägt habe, ist z. B. auch in D. Zellers Aufsatz »Zur Pragmatik der paulinischen Rechtfertigungslehre«[90] zu erkennen. Zeller unterscheidet bei Paulus zwischen »Rechtfertigungsbotschaft« und »Rechtfertigungslehre«; von letzterer will er nur sprechen, wo das Rechtfertigungsgeschehen antithetisch vorgestellt wird (206). »Um die Exklusivität der Heilsbotschaft von Jesus Christus zu sichern, münzt er [sc. Paulus] die Rechtfertigungsbotschaft ... um in die Rechtfertigungslehre und weist darin strikt den Anspruch des Gesetzes, Leben zu vermitteln, zurück. Sie ist also die theologische Absicherung des Evangeliums mit Pointe gegen Außenstehende« (214). In diesem Punkt erblickt Zeller die Möglichkeit einer von ihm indes nicht konkretisierten Sachkritik an Paulus und seinem Gesetzesverständnis. Würde die Sachkritik in der von P. von der Osten-Sacken[91], U. Luz[92] und H. Räisänen[93] eingeschlagenen Richtung fortgeführt werden, dürften sich beträchtliche Folgerungen für das Rechtfertigungsverständnis Pauli ergeben. Der bei U. Luz wirksame Impuls ist offensichtlich das Bemühen, dem Judentum besser als bisher gerecht zu werden. Derselbe Impuls zeigt sich auch in Zellers zitiertem Aufsatz mit der einleitenden Frage: »Läßt sich der antijüdische Zündstoff in christlicher Theologie entschärfen, wenn man die Rechtfertigungslehre des Paulus auf ihren historischen Platz zurückstellt?« (204). Dieser

---

85. »Rechtfertigung« bei Paulus (NTA NF 3), Münster 1967, ²1971.
86. Sündenverständnis und theologia crucis, in: Theologia crucis – Signum crucis (FS E. Dinkler), Tübingen 1979, S. 249–282.
87. Zu U. Wilckens Röm-Kommentar vgl. jetzt den »kritischen Nachvollzug« seiner Auslegung durch D. Zeller, ThZ 38, 1982, S. 193–212.
88. In: FS E. Käsemann, Tübingen und Göttingen 1976, S. 479–508.
89. In: ZNW 67, 1976, S. 64–82, bes. S. 67–72.
90. ZTheolPhil 56, 1981, S. 204–217.
91. In: EvTh 37, 1977, S. 549–587.
92. In: R. Smend und U. Luz: Gesetz (Biblische Konfrontationen), Stuttgart 1981, S. 89–112.
93. Legalism and Salvation by the Law, in: S. Pedersen (Hg.): Die Paulinische Literatur und Theologie (Theologiske Studier 7), Arhus und Göttingen 1980, S. 63–83.

Problematik hatte sich zuvor schon bereits F. Mußner zugewandt. Seine im Gal-Kommentar vertretene Auffassung, Paulus kämpfe mit seinem Gesetzesverständnis allein gegen die judaistische Front und nicht gegen das jüdische Toraverständnis als solches, wurde auch katholischerseits stark abgelehnt[94] und inzwischen offensichtlich von ihm selbst abgeschwächt[95]. Die weitere Diskussion, die (mit der Ablehnung von F. Mußners »Sonderweg« für Israel) besonders durch E. Gräßer[96] und F. Hahn[97] angestoßen wurde, wird sodann auch auf Harmonisierung bedachte Lösungsvorschläge berücksichtigen müssen, denen zufolge Paulus auch eine Wertschätzung der Tora für die Christen vertreten habe[98].

3. NT und Ämterfrage

Charakteristisch für die nachkonziliare Entwicklung ist vor allem die wachsende Beschäftigung der Neutestamentler mit dem Kirchenverständnis, dem Herrenmahl und mit der Entwicklung ekklesialer Funktionen und Funktionsträger. Außer monographischen Bearbeitungen wären vor allem zahlreiche Einzelbeiträge zu nennen, die zum Teil in Dokumente des in aller Welt mit anderen christlichen Konfessionen geführten ökumenischen Gesprächs eingegangen sind[99]. Was die Erhebung der neutestamentlichen Befunde betrifft, darf man von einem weitgehenden Konsens sprechen. Meinungsverschiedenheiten melden sich vor allem bei der Beurteilung der Relevanz der exegetischen Ergebnisse für das Verständnis von »Amt« und »Ämtern« in der Kirche der nachapostolischen Zeit zu Wort. Außer der je eigenen kirchlichen Überlieferung spielt auch hier die unterschiedliche Bewertung des neutestamentlichen Kanons eine gewisse Rolle, wofür die Stichworte »Kanon im Kanon« und »der Kanon als dogmatische Größe« stehen. Katholischen Gesprächspartnern liegt verständlicherweise vor allem an der konkreten Frage, ob und inwieweit sich die Legitimierung des Bischofs- und Petrusamtes durch das Prinzip der »apostolischen Sukzession« im Gesamtzeugnis des Neuen Testa-

---

94. J. Blank, BZ 20, 1976, S. 291–301; D. Zeller, Pragmatik, S. 207; kritisch auch K. Haacker, Jud 33, 1977, S. 161–177.

95. Traktat über die Juden, München 1979, S. 223.227 f.230.

96. Zwei Heilswege?, in: *P. G. Müller* und *W. Stenger (Hg.)*: Kontinuität und Einheit *(FS F. Mußner)*, Freiburg 1981, S. 411–429; *ders.*: Christen und Juden, PTh 71, 1982, S. 431–449.

97. Zum Verständnis von Römer 11,26 a: »... und so wird ganz Israel gerettet werden«, in: *M. D. Hooker* und *S. G. Wilson (Hg.)*: Paul and Paulinism *(FS C. K. Barrett),* London 1982, S. 221–236.

98. Vgl. neben E. Stegemann und H. Thyen (beide in: *R. Rendtorff* und *E. Stegemann (Hg.)*: Auschwitz – Krise der christlichen Theologie (Abh. z. christl.-jüd. Dialog 10), München 1980, S. 117–139; 140–158) die Auffassung des Katholiken G. S. Sloyan, JES 18, 1981, S. 93–103.

99. Von den besonders seit 1970 erschienenen Dokumenten seien nur genannt die nordamerikanische Gemeinschaftsstunde »Peter in the New Testament«, ed. *R. E. Brown u. a.*, New York, Paramus und Toronto 1973 (dt.: Der Petrus der Bibel, Stuttgart 1981) und »Papsttum als ökumenische Frage«, hg. von der Arbeitsgemeinschaft ökumenischer Universitätsinstitute, Mainz und München 1979.

ments verankern läßt. In dieser Hinsicht verdienen zwei Publikationen, ein weiteres Mal von R. Pesch und H. Schürmann, hervorgehoben zu werden. Letztlich ist es dasselbe Problem der apostolischen Sukzession, das die beiden unabhängig voneinander schreibenden Autoren umtreibt: den einen (Pesch) im Hinblick auf den »Primat« des römischen Bischofs, den anderen (Schürmann) im Hinblick auf das »episkopale« Amt im allgemeinen.

a) Das entschiedene Schwergewicht von Peschs Monographie »Simon-Petrus. Geschichte und geschichtliche Bedeutung des ersten Jüngers Jesu Christi«[100], die nach den älteren Petrus-Büchern von O. Cullmann[101] und des Katholiken A. Penna[102] die neuere Forschung[103] wohl erschöpfend registriert und eigenständig verarbeitet, liegt freilich, wie er auch ausdrücklich betont (7), auf der Zeichnung des »historischen« Petrus (9–134) und auf der Erhebung der »Entwicklung des Petrusbildes und der gesamtkirchlichen Bedeutung des Petrus« im neutestamentlichen und apokryphen Schrifttum (135–162). Aufgrund der teilweise wagemutigen Beurteilung der neutestamentlichen Angaben gewinnt der vor- und nachösterliche Petrus der Historie eine Profilierung, die folgerichtig zu der gesamtkirchlichen Bedeutung führt, die vor allem die Primatsworte (Mt 16,17–19; Joh 21,15–17) für ihn beanspruchen, die aber auch andere Spätschriften wie besonders der 2. Petrusbrief voraussetzen würden; »was er [sc. 2 Petr] in der Beanspruchung einer universalen Autorität des Petrus vollzieht – in einer Schrift, die als Testament des Petrus vorgestellt ist –, ist die Vollstreckung des Vermächtnisses der bisher im Evangelienkorpus und im Corpus Paulinum sowie im ersten Petrusbrief bereitgestellten Petrusbilder« (161 f.).

Nur »exkursartig« konnte der Verfasser »auf einige historische (und theologische) Probleme der Fortsetzung eines ›Petrusamtes‹ im Primat des römischen Bischofs« eingehen (7.168–170). Das Problem ergibt sich auch für ihn aus einem unbestreitbaren Faktum: »Weder die Geschichte des Petrus noch die in den neutestamentlichen Dokumenten gespiegelte wachsende Bedeutung des Petrus und seines ›Primats‹ haben unmittelbar ein kirchengeschichtlich wirksames Petrusamt, den Primat der römischen Bischöfe, gezeugt. Andererseits« – so lautet Peschs grundlegende Argumentation – »kann sich freilich, zumal da im 4. Jahrhundert der Kanon des Neuen Testaments im wesentlichen ausgebildet vorliegt, der sich ausbildende Führungsanspruch der römichen Bischöfe, die sich als Nachfolger des Petrus verstehen, auf das neutestamentliche Petrusbild, den überlieferten Primat des Petrus berufen. Diesen geschichtlichen Vorgang von vornherein als theologisch illegitim bewerten zu wollen, hieße die Legitimität kirchenrechtlicher Entwicklung überhaupt zu bestreiten bzw. die Möglichkeit eines aktuellen Glau-

---

100. In der Reihe »Päpste und Papsttum« 15, Stuttgart 1980.
101. Petrus. Jünger–Apostel–Märtyrer, Zürich 1952.
102. San Pietro, Brescia 1954.
103. Zu »Petrus und Petrus-Amt im Neuen Testament« vgl. zuletzt J. Blank: Vom Urchristentum zur Kirche, München 1982, S. 89–147.

benskonsenses der Kirche in Frage zu stellen« (167). Als weiterer maßgeblicher Faktor der Entwicklung – daß sich nämlich die Bischöfe Roms als Nachfolger im Petrusamt verstanden – ist nach Pesch die im späten 2. Jahrhundert entstandene Konzeption der Bischöfe als »Nachfolger« der Apostel in Anschlag zu bringen, der zufolge ja auch die Nachfolge des Petrus in den Sukzessionslisten der römischen Bischöfe »zunächst nur als Nachfolge in dem von ihm begründeten Episkopat konzipiert (wird), noch nicht als spezielle Nachfolge in einem ›Petrusamt‹« (166). Insofern die Nachfolge im Petrusprimat, nämlich seiner übertragbaren Funktionen (163.167f.), aber ein bzw. »der Spezialfall« der älteren Auffassung von der apostolischen Sukzession der Bischöfe ist (166), entscheide sich mit der Frage nach deren Legitimität auch die nach der Legitimität jenes später auftauchenden Anspruchs auf den Petrusprimat. Zur Begründung der Legitimität jener älteren Konzeption der »apostolischen« Nachfolge der Bischöfe macht Pesch schließlich geltend: »Die Erstellung von Sukzessionslisten der Nachfolger der Apostel im Bischofsamt geschah in genuin neutestamentlichem Geist im Dienst der Bindung des lebendigen Glaubens an die Glaubensgemeinschaft, die durch das Wort der Apostel konstituiert war« (169).

b) Die Kanonisierung der bekannten 27 Schriften gewinnt für die Argumentation Schürmanns noch größeres Gewicht als für Pesch. Ohne Peschs Ausführungen zu kennen, sucht Schürmann über dessen theologische Legitimierung des Bischofsamtes hinausführen. In seiner originellen, die einschlägige Diskussion beider Konfessionen sorgsam einbeziehenden Untersuchung »Auf der Suche nach dem ›Evangelisch-Katholischen‹«[104], nämlich nach dem »für alle Kirchen immer maßgeblich bleibenden ›Vor-Katholische(n)‹« (375), gilt ein wesentliches Interesse Schürmanns dem »episkopalen« Amt. Er macht das wohlbekannte Argument geltend, daß die Anerkennung der faktischen Kanonisierung der 27 Schriften (im 4. Jahrhundert) auch die Anerkennung der episkopalen Lehrvollmacht fordere: Zu jener Entscheidung wäre es nicht gekommen, »wenn es in der Alten Kirche neben der freien charismatischen Rezeption durch die Gemeindechristen nicht ein ›episkopales‹ Amt gegeben hätte, das, überregionale Communio vermittelnd und präsentierend, zu gesamtkirchlich verbindlichen Lehrentscheidungen verhelfen konnte« (357). Und das habe eben zur Konsequenz: »Wer den Kanon als verbindlich annimmt, nimmt damit auch dieses Amt der Alten Kirche mit seiner Entscheidungsvollmacht (in irgendeiner Form) an, weil er sonst kein verbindliches Neues Testament mehr in Händen hält« (357 A. 65). Näherhin liegt Schürmann an der eindeutigen Folgerung, daß »ein Monepiskopos seine ihm zukommenden amtlichen Charismen mit ihrer Verantwortung nicht ins Spiel bringen (kann), wenn er nicht die volle Entscheidungsgewalt (als plena potestas im Rahmen seines Amtes) hat« (359; vgl. 361), wobei er freilich sehr nachdrücklich das »kritische Neben- und Miteinander von freien und amtlichen Diensten in den urkirchlichen Gemeinden ... als

---

104. In der FS F. Mußner, S. 340–375.

ein maßgeblich verpflichtendes Ordnungsprinzip für die Kirche aller Zeiten« betont (372.371–374).

Warum sich Schürmann gedrängt fühlt, zum Nachweis der wesenskonstitutiven Notwendigkeit des so verstandenen Bischofsamtes auf den Prozeß der Kanonbildung zu rekurrieren, gibt er durch eine Feststellung zu erkennen, die einem weitgehenden Konsens auch seiner katholischen Kollegen entspricht: Obgleich angesichts des »Pluralismus von kirchlichen Ordnungen« in den nachpaulinischen Schriften (372) »auch andere Entwicklungen denkbar« gewesen wären, liege der altkirchliche Monepiskopat zweifellos in der Linie der in der apostolischen und nachapostolischen Zeit (2. und 3. Generation) sich zeigenden Tendenzen (357). Es lasse sich aber – und damit anerkennt auch Schürmann die Schwierigkeit des Versuchs, das Neue Testament selbst die personale apostolische Sukzession als Grund für die exzeptionelle episkopale Lehrvollmacht bezeugen zu lassen – »trotz aller Hinweise kein unanfechtbar geschichtlicher Beweis erbringen, daß der Monepiskopat der Alten Kirche von Anfang an in geradliniger Sukzession durch Handauflegung bis auf die Urapostel oder Paulus zurückgeführt werden kann« (356 A. 63). Um dieses Defizit der Beweisbarkeit zu kompensieren, läßt Schürmann – und das ist das eigentlich Neue, aber auch das Kühne seiner Argumentation, nämlich seiner Qualifizierung der kirchengeschichtlichen Entwicklung – »die eschatologische Christusoffenbarung« mit der Kanonisierung der 27 Schriften zum vorletzten (nämlich vor der Parusie) Abschluß kommen und läßt er »der werdenden Kirche« (= der neutestamentlichen Zeit) die durch die Kanonisierung signalisierte »gewordene Kirche« folgen (345–350.360 f.). » ›Das Katholische‹ kann nur als ein charakteristisches Prädikat der Kirche beschrieben werden, näherhin als der ›gewordenen Kirche‹, die zu ihrer wesenhaften Identität gefunden hat«, nämlich durch den »Abschluß der eschatologischen Christusoffenbarung und deren Bezeugung in den Schriften des Neuen Testaments ...« (360). Zur Illustration dieses Prozesses riskiert Schürmann den Vergleich mit einer organisch-naturgesetzlichen Entwicklung: »Wie die menschliche Gestalt nicht schon am Embryo, sondern erst am Kleinkind erkannt wird, so werden die konstitutiven Gestaltelemente der Kirche« (zu denen eben das das *ganze* normative Neue Testament feststellende und »letztverbindlich« auslegende »episkopale« Lehramt gehöre) »nicht alle schon an der werdenden Kirche ablesbar sein; sie können erst in der frühen Alten Kirche ... voll sichtbar werden« und »letztgültig erst am Ende bei der Parusie erkannt werden« (347). Schürmann, der sein thetisch vorgetragenes Gesamtkonzept abschließend in 10 vorsichtigen Anfragen »für das gemeinsame Überlegen« zusammenfaßt (375), ist bei der Frage, ob man sich auf die » ›katholische‹ Legitimität« dieses Gestaltwandels ökumenisch einigen könnte, sich selbst wohl »bewußt, daß die Frage nach der ›Legitimität‹ mit hermeneutischen Voraussetzungen arbeiten muß, die historisch höchstens als adäquat qualifiziert werden können« (344).

Gegenwärtig gibt es wohl kein Thema der neutestamentlichen Diskussion, bei dem sich das Problem der Hermeneutik so sehr aufdrängt wie bei der Frage »Amt« und »Ämter«, die nicht zu Unrecht als Ernstfall der Ökumene gilt. Die Bereitschaft, unsere hermeneutischen Voraussetzungen zu reflektieren, ist sicher eine bleibende Grundforderung unserer gemeinsamen Arbeit am Neuen Testament, wie gerade auch das letzte Kapitel dieses bruchstückhaften Überblicks über Einzelprobleme in der heutigen katholischen Exegese illustrieren dürfte.

III. Überlegungen zu einer gesamtbiblischen Theologie

7. Leben – neues Leben – Möglichkeiten und Grenzen einer gesamtbiblischen Theologie des Alten und Neuen Testaments*
Hans Klein

Vorbemerkungen

1. Die Erforschung der Bibel steht in unserer Generation unter einem zwiespältigen Aspekt. Da sind einerseits die zentrifugalen Kräfte der zunehmenden Spezialisierung am Werk[1]. Die Beschäftigung mit den verschiedenen Details biblischer Schriften oder mit Einzelproblemen der Bibel ist so weit fortgeschritten, daß Übersichten über die Ergebnisse der Forschung immer mehr als Desiderat empfunden werden. Es will kaum noch gelingen, eine sachgemäße Darstellung der Einleitung oder der Theologie des Alten bzw. des Neuen Testaments zu bieten. Die verschiedenen Entwürfe zeigen das in besonderer Weise an. Je nachdem, mit welchem Teilaspekt sich der Verfasser eingehender beschäftigte, fällt die Darstellung aus. Der Theologie des Alten Testaments Gerhard von Rads[2] merkt man deutlich eine Vorliebe für den Pentateuch, der von Walther Zimmerli[3] eine eingehende Beschäftigung mit den Propheten, der Claus Westermanns[4] die Arbeit an Genesis, Deuterojesaja und den Psalmen an. Hingegen ist die Theologie des Neuen Testaments Rudolf Bultmanns[5] von der Paulusauslegung und der Bemühung um das Johannesevangelium, die von Joachim Jeremias[6] von der Jesusforschung geprägt. Rudolf Smends Entstehung des Alten Testaments[7] trägt deutlich den Stempel einer intensiven Aufarbeitung der deuteronomistischen Literatur, während Philipp Vielhauer[8] und Hel-

---

*Vortrag am 1. Oktober 1981; vgl. EvTh 43, 1983, S. 91–107.

1. Vgl. dazu S. *Wagner:* »Biblische Theologien« und »Biblische Theologie«, ThLZ 103, 1978, Sp. 786–798, dort Sp. 790: Die »sehr komplizierten ... literarischen Verhältnisse, in deren Architektur ein verfeinertes wissenschaftliches Instrumentarium Einblick vermittelt, ist freilich dazu imstande, den Eindruck des Auseinanderfallens noch zu verstärken. Auf die zu verhandelnde Frage gewendet: Die Hoffnung, eine biblische Theologie zu gewinnen, ist noch geringer geworden.«

2. G. *von Rad:* Theologie des Alten Testaments I/II, München 1978/80[7].

3. W. *Zimmerli:* Grundriß der alttestamentlichen Theologie (ThW 3), Stuttgart 1978[3].

4. C. *Westermann:* Theologie des Alten Testaments in Grundzügen (ATD Erg. 6), Göttingen 1978

5. R. *Bultmann:* Theologie des Neuen Testaments, hg. v. O. *Merk* (UTB 630), Tübingen 1980[8].

6. J. *Jeremias:* Neutestamentliche Theologie, Erster Teil: Die Verkündigung Jesu, Gütersloh 1979[3].

7. R. *Smend:* Die Entstehung des Alten Testaments (ThW 1), Stuttgart 1978.

8. Ph. *Vielhauer:* Geschichte der urchristlichen Literatur. Einleitung in das Neue Testament, die Apokryphen und die apostolischen Väter, Berlin 1975.

mut Köster[9] sich die Einleitung in das Neue Testament geteilt haben[10]. Diese schwerpunktmäßige Darstellung hat selbstverständlich ihren großen Reiz. Wird jedoch der hier aufgezeigte Trend fortgesetzt, wird die Frage nach der Einheit der Bibel immer mehr zum Problem werden. Das aber nicht etwa aus einer sachgemäßen Fragestellung heraus, sondern aus mangelnder Information und wegen der Vorsicht der Darsteller, die darauf bedacht sind, sich nicht zu weit weg von dem Bekannten zu wagen. Die Redaktionsgeschichte gibt dazu ein gewisses Alibi. Sie läßt die einzelnen Schriften der Bibel als jeweils selbständige theologische Entwürfe begreifen, und die Erforschung und Durchdringung einer einzigen großen Schrift erfordert allein schon eine ganze Arbeitskraft. Die Theologien des Neuen Testaments sind denn auch in letzter Zeit als Darstellung der verschiedenen theologischen Entwürfe verstanden worden. Sie wurden als Theologiegeschichten begriffen[11]. So durch R. Bultmann[12], H. Conzelmann[13], W. G. Kümmel[14], E. Lohse[15] und L. Goppelt[16].

2. Auf der anderen Seite ist eine Tendenz festzustellen, die in der letzten Zeit zunehmend an Boden gewonnen hat: die Forderung nach einer Biblischen Theologie[17]. Sie hat durch die Erforschung des Judentums in der Zeit zwischen den Testamenten[18] großen Auftrieb erhalten, weil sich zeigen ließ, daß dieses Judentum sehr

---

9. *H. Köster:* Einführung in das Neue Testament im Rahmen der Religionsgeschichte und Kulturgeschichte der hellenistischen und römischen Zeit, Berlin 1980.

10. Nicht in demselben Ausmaße gilt dies für die Arbeitsteilung zwischen *H. M. Schenke* und *K. M. Fischer* in ihrer gemeinsamen Einleitung in die Schriften des Neuen Testaments I/II, Gütersloh 1978/79, da es sich hier um eine engere Zusammenarbeit handelt.

11. Daß es sich hierbei um eine Auswertung und Fortführung des Ansatzes der Religionsgeschichtlichen Schule handelt, merken wir bloß an, ohne dieses hier weiter ausführen zu können.

12. *R. Bultmann:* s. Anm. 5.

13. *H. Conzelmann:* Grundriß der Theologie des Neuen Testaments, München 1976³.

14. *W. G. Kümmel:* Die Theologie des Neuen Testaments nach seinen Hauptzeugen (NTD Erg. 3), Göttingen 1969.

15. *E. Lohse:* Grundriß der neutestamentlichen Theologie (ThW 5), Stuttgart 1975.

16. *L. Goppelt:* Theologie des Neuen Testaments, hg. v. *J. Roloff* (UTB 850), Göttingen 1978³.

17. Es können hier nur einige wenige Werke aufgezählt werden: *H.-J. Kraus:* Die Biblische Theologie. Ihre Geschichte und Problematik, Neukirchen-Vluyn 1970; *O. Merk:* Biblische Theologie des Neuen Testaments in ihrer Anfangszeit. Ihre methodischen Probleme bei Johann Philipp Gabler und Georg Lorenz Bauer und deren Nachwirkungen (Marb. Theol. Stud. 9), Marburg 1972; *H. Gese:* Vom Sinai zum Zion. Alttestamentliche Beiträge zur biblischen Theologie (BEvTh 64), München 1974; *ders.:* Zur biblischen Theologie. Alttestamentliche Vorträge (BEvTh 78), München 1977; *P. Stuhlmacher:* Schriftauslegung auf dem Wege zur biblischen Theologie, Göttingen 1975; *K. Haacker u. a.:* Biblische Theologie heute (BThSt 1), Neukirchen-Vluyn 1977; *W. Zimmerli* und *O. Merk:* Art. Biblische Theologie, TRE VI, S. 426 ff. Dort weitere Literatur.

18. Übersichten über die Literatur vermitteln: *G. Delling:* Bibliographie zur jüdisch-hellenisti-

vielgestaltig war, wobei es neben den konservativen Kräften, die auf das Alte bau-
ten, auch Neurerkreise verschiedenster Art gab[19], unter anderem auch solche, die
sich der Welt des Hellenismus zuwandten und ihren Glauben völlig neu zu artikulieren versuchten[20]. Diese Einsicht in die Vielschichtigkeit des Judentums ermög-
lichte ein Verständnis des frühen Christentums von diesem Mutterboden her, so
daß die Welt des eigentlichen Hellenismus immer mehr aus dem Blickfeld des Bi-
belauslegers verschwand[21]. Bei vielen Exegeten erscheint darum heute das junge
Christentum als ein Phänomen, das von der Kenntnis des Judentums jener Zeit
weitgehend erklärt werden kann[22]. Nicht zufällig hat Hartmut Gese formuliert:»Die
neutestamentliche Theologie, d. h. die Christologie, ist die Theologie des Alten Testaments, die das neutestamentliche Geschehen, d. i. das Einbrechen des Heils,
die Realisierung des Eschaton, die Gegenwart Gottes beschreibt. Mit ihr nehmen

---

schen und intertestamentarischen Literatur 1900–1970 (TU 106,2), Leipzig 1975[2], und: Jüdische Schriften aus hellenistisch-römischer Zeit, hg. v. *W. G. Kümmel,* Gütersloh 1974 ff.
19. In erster Linie ist hier an die durch die Qumrantexte ans Licht getretene Sektengemein-
schaft und ihre Ausstrahlung zu denken. Die Literatur dazu ist unübersehbar. Eine gute Über-
sicht bietet *J. A. Fitzmyer:* The Dead Sea Scrolls. Major Publications and Tools for Study, Mis-
soula, Mont. 1977[2].
20. Grundlegend dafür immer noch *M. Hengel:* Judentum und Hellenismus. Studien zu ihrer
Begegnung unter besonderer Berücksichtigung Palästinas bis zur Mitte des 2. Jh.s v. Chr.
(WUNT 10), Tübingen 1973[2]. Vgl. auch *H. Köster:* Einführung, S. 235 ff., und die dort angegebene Literatur.
21. Doch vgl. immerhin: *H. D. Betz:* Der Apostel Paulus und die sokratische Tradition. Eine exegetische Untersuchung zu seiner »Apologie« 2 Kor 10–13 (BHTh 45), Tübingen 1972; *M.
Hengel:* Zur urchristlichen Geschichtsschreibung, Stuttgart 1979, sowie *G. Theißen:* Studien
zur Soziologie des Urchristentums, Tübingen 1979, und *J. Leipoldt* und *W. Grundmann:* Umwelt des Urchristentums, 3 Bde., Berlin 1965–67.
22. Schon *A. Schlatter:* Die Geschichte des Christus, Stuttgart 1923, S. 296, trat für diese
Sicht ein: »Das weit verbreitete Sträuben gegen die Tatsache, daß das Christentum ohne die
Herrschaft des Pharisäismus über die jüdische Gemeinde undenkbar ist und in der Anlehnung an ihn wie im Gegensatz gegen ihn seine Geschichte und Lehre erhalten hat, schädigte
dem Verständnis der neutestamentlichen Geschichte in allen ihren Vorgängen und erzeugte
eine Menge von Phantasien, die nun Fremdartiges, heidnische und gnostische Gedanken mit
den christlichen Überzeugungen in Beziehung bringen.«
23. Diese These, nämlich daß das Neue Testament ohne das Alte unverständlich sei, ist freilich reichlich überspitzt. Mit Hilfe religionsgeschichtlicher Vergleiche ließe sich sehr viel aus
dem NT auch ohne das AT erklären. Sodann: Die Heidenchristen, an die sich Paulus wandte,
haben nur zum Teil das AT gekannt und wurden doch von seiner Botschaft erreicht, offenbar,
weil er nicht nur dem AT gemäß predige. Die Gesamtansicht Geses, die auf einer geschichts-
philosophischen Prämisse beruht, wird allerdings verschiedentlich geteilt. Vgl. auch *S. Wagner,* Sp. 797:»So möchte man zu sprechen wagen von einem unteilbaren Christushandeln
Gottes in Zuwendung, Herrschaft, Gericht und Heil Gottes, das sich durch die alttestamentlichen und neutestamentlichen Texte durchhält und durchträgt und in dem Manne Jesus von
Nazareth zu seinem Ende, zu seinem Ziel, zu seiner Identität, zu seiner Eigentlichkeit, zu seiner Endgültigkeit kommt und darin hermeneutisch selbstevident ist.«

die Zeugen der Auferstehung, die Apostel (und ihre Tradition) dieses Geschehen wahr. Das Neue Testament an sich ist unverständlich, das Alte Testament an sich ist mißverständlich[23]. Das neutestamentliche Geschehen hat die alttestamentliche Traditionsbildung notwendigerweise abgeschlossen, d. h., jetzt war erst ein Ganzes entstanden.«[24]

Man kann von hier aus das Neue Testament als krönenden Abschluß des Alten Testaments verstehen und versuchen, eine Biblische Theologie auf dieser Grundlage aufzubauen, wie es Gese tatsächlich angegangen ist[25]. Die Bibel wird dann als eine Einheit, als ein »Ganzes« gesehen, das nur in seiner Gesamtheit richtig verstanden werden kann. Fragt man nun allerdings, wo eine ähnliche Sicht bereits vertreten ist, so stößt man, wie bereits Kl. Haacker beobachtet hat[26], vorwiegend auf Alttestamentler. Das deutet auf einen Sachverhalt hin, der uns noch beschäftigen muß.

3. Bevor wir aber nun daran gehen, unser Thema genauer ins Auge zu fassen, ist auf einige Schwierigkeiten hinzuweisen, die sich dem Unternehmen einer Biblischen Theologie neben dem der Spezialisierung der Forscher in den Weg stellen. Es sind Schwierigkeiten, die mit jeder Darstellung einer Theologie verbunden sind. Sie bestehen darin, daß eine Theologie, d. h. eine Darstellung der Lehre der Bibel oder eines Teiles von ihr, ein Konzept haben muß, das einerseits den Quellen gerecht zu werden versucht, andererseits diese Quellen so zusammenstellt, daß damit der gesamten Theologie in sachgemäßer Weise gedient wird. Diese Forderung hat, freilich mit anderen Worten, schon Johann Philipp Gabler in seiner berühmt gewordenen Altdorfer Antrittsvorlesung (1787) zum Thema einer Biblischen Theologie erhoben[27], und sie ist seither, wie Otto Merk gezeigt hat[28], ständiges An-

---

24. *H. Gese:* Vom Sinai zum Zion, S. 30. Vgl. dazu *P. Pokorný:* Probleme biblischer Theologie, ThLZ 106, 1981, Sp. 1–8, dort Sp. 4 f.: »Den Zusammenhang beider Testamente kann man nicht aus der historischen Kontinuität deuten, weil man das Alte Testament als die jüdische Bibel auch ohne das Neue Testament verstehen kann, auch wenn es sich dabei um eine andere Perspektive handelt. Nach einer verbreiteten jüdischen Sicht bedarf die Schrift keiner Fortsetzung.«

25. *H. Gese:* Zur biblischen Theologie.

26. *K. Haacker:* Die Fragestellung der biblischen Theologie, in: *K. Haacker u. a.:* Biblische Theologie, S. 10.

27. Johann Philipp Gablers Rede ist jetzt leicht zugänglich in der Übersetzung O. Merks: »Von der richtigen Unterscheidung der biblischen und der dogmatischen Theologie und der rechten Bestimmung ihrer beider Ziele«, in: *O. Merk:* Biblische Theologie, S. 273 ff. Gabler unterscheidet zwischen der biblischen und der dogmatischen Theologie in der Weise, daß er der biblischen Theologie die historische, der dogmatischen die didaktische Aufgabe zuweist. In einer »Biblischen Theologie«, wie wir sie heute sehen, geht es um die didaktische Zusammenstellung der Texte aufgrund der historischen Vorarbeit.

28. *O. Merk:* Biblische Theologie, S. 236 ff., konnte zeigen, daß seit Gabler jede Theologie den beiden Forderungen nach Rekonstruktion bzw. Interpretation verpflichtet war, auch wenn die Schwerpunkte verschieden gesetzt wurden.

liegen der Bibelforschung geblieben. Das bedeutet, daß das Gesamtkonzept einer Biblischen Theologie die Texte so zur Sprache bringen muß, daß sie das gegenwärtige Leben der Christen beleuchten und ausrichten in einer der Intention der Bibel entsprechenden Weise. Diesem Konzept muß also eine Hermeneutik zugrunde liegen, die sich ebenso durch sachgemäßes Textverständnis als auch durch Klarheit und Einfachheit der Gedankenführung auszeichnet. Das kann nur erreicht werden, wenn von einprägsamen Leitgedanken ausgegangen wird, die – gewiß vereinfachend – auf das Entscheidende aufmerksam machen und damit die Einordnung und das Verstehen auch schwieriger Texte ermöglichen. Bei dem Konzept einer gesamtbiblischen Theologie kommt noch die Schwierigkeit hinzu, daß das Verhältnis der beiden Testamente mitbestimmt werden muß, und zwar so, daß beiden Teilen der Bibel gleicherweise Rechnung getragen wird.

4. Angesichts solcher Anforderungen kann man verzagen. Sie mögen mit dazu beigetragen haben, daß – wie jüngst Ferdinand Hahn erklärt hat – eine gesamtbiblische Theologie noch nicht in Sicht ist[29]. Um so mehr lohnt es sich, dieser Frage einmal nachzugehen. Wir wollen es so versuchen, daß wir zunächst das Verhältnis der beiden Teile der Bibel zueinander besprechen (I.), dann die Möglichkeit (II.) und die Grenzen (III.) einer gesamtbiblischen Theologie genauer betrachten, um endlich einige Erwägungen zu einer solchen Theologie in zwei getrennten, aber aufeinander abgestimmten Teilen anzustellen (IV.).

I.

1. Die Zuordnung der beiden Teile unserer Bibel erfolgt in der herkömmlichen Bezeichnung durch je zwei Worte, von denen das eine, nämlich »Testament«, beide Teile verbindet, während das andere, nämlich »alt« bzw. »neu«, sie unterscheidet. Diese Zuordnung und Abgrenzung hat in der letzten Zeit kein weiteres Nachdenken hervorgerufen. Der letzte Versuch in dieser Richtung, der von Walther Eichrodt, eine Theologie des Alten Testaments vom Worte »Bund« her zu entwerfen[30], liegt nun schon nahezu 50 Jahre zurück und hat im deutschen Sprachraum, soweit ich das übersehe, keine Nachwirkung mehr[31]. Auch die sorgfältigen Untersuchungen von Ernst Kutsch[32], in denen er sich um den Nachweis bemüht, daß berît im

29. *F. Hahn:* Auf dem Wege zu einer Biblischen Theologie? Werkstattbericht NT, Nachrichten der Evang.-Luth. Kirche in Bayern 35, 1980, S. 281–287, dort S. 287: »Es wird zunächst jedoch nicht gelingen, eine gesamtbiblische Theologie zu schreiben.« Vgl. auch *S. Wagner,* Sp. 797: »Selbst wenn sich heute eine Biblische Theologie noch nicht fügen will, so bleibt sie als Aufgabe unabweisbar gestellt.« Ähnlich *O. Merk,* TRE VI, S. 472.
30. *W. Eichrodt:* Theologie des Alten Testaments I, Göttingen 1968⁸; II/III, Göttingen 1974⁷.
31. Außerhalb dieses Sprachraumes dürften die Dinge etwas anders liegen. Vgl. *R. E. Clements:* Old Testament Theology. A Fresh Approach, London 1978.
32. *E. Kutsch:* Verheißung und Gesetz. Untersuchungen zum sogenannten »Bund« im Alten Testament (BZNW 131), Berlin 1973.

Sinne von Verheißung und Verfügung zu verstehen sei, haben nicht dazu geführt, daß dieses Nomen erneut zum Ausgangspunkt einer Theologie herangezogen wurde. Denn im Neuen Testament spielt es nun doch nicht eine entscheidende Rolle, auch wenn es sich in den Abendmahlsworten findet, und für das Alte Testament hat Lothar Perlit[33] seine Verwurzelung besonders im deuteronomistischen Schrifttum aufgezeigt. Es kommt hinzu, daß dieses Wort, unabhängig davon, wie es in der Bibel verstanden wurde, dem Christen von heute die Sache der Bibel nicht näherbringen kann. Als der gesuchte Ansatzpunkt zu einer Neubesinnung über das, was die beiden Teile der Bibel zusammenhält oder unterscheidet, kann dieses Nomen somit nicht dienen.

2. Fällt damit die traditionelle Zuordnung der beiden Testamente zur Erarbeitung einer Biblischen Theologie aus, so erhebt sich die Frage, ob man nicht nach einem anderen Wort oder Wortpaar Ausschau halten muß, das geeignet ist, diese Zuordnung der beiden Teile der Bibel neu zu artikulieren, und das damit zum greifbaren Instrument für eine gesamtbiblische Theologie werden kann.

Sieht man sich von hier aus die beiden letzten Theologien des Alten Testaments, jene von W. Zimmerli und die von C. Westermann an, so scheint ein Anhaltspunkt für eine solche Zuordnung sichtbar zu werden. Zimmerli konzipiert seine Theologie streng als »Theo«-logie. Jahwe steht darin im Mittelpunkt. Eine entsprechende Theologie des Neuen Testaments müßte von hier aus als Christologie konzipiert werden. So etwa hat es neben H. Gese (im oben zitierten Ausspruch) auch R. Smend gesehen[34]. Die Zuordnung der beiden Testamente müßte also so erfolgen: Das Alte Testament spricht von Jahwe, das Neue Testament von Jesus Christus. Von hier aus wäre zu überlegen, ob eine Biblische Theologie nicht in Anlehnung an das Apostolikum ausgearbeitet werden könnte, indem die Theologie des Alten Testaments mehr vom 1. Artikel, d. h. von Gott, der Erschaffung der Welt, des Menschen Schuld sowie der Erhaltung und Führung der gefallenen Welt handelt, während eine Theologie des Neuen Testaments hauptsächlich die Erlösung in Christus und die Rechtfertigung des Sünders, also den 2. Artikel auszuarbeiten hätte.

Auch vom Ansatz C. Westermanns ließe sich eine Zuordnung versuchen. Dort wird das rettende und das segnende Handeln Gottes zum Ausgangspunkt der Darstellung gemacht[35]. Westermann selbst sieht die Möglichkeit einer Biblischen Theologie gegeben, wenn die verbale Struktur auch für die Auslegung des Neuen Testaments mehr beachtet wird, so daß das Geschehen zwischen Gott und Mensch in

---

33. *L. Perlitt:* Bundestheologie im Alten Testament (WMANT 36), Neukirchen-Vluyn 1969. Vgl. auch *L. Wächter:* Die Übertragung der Berîtvorstellung auf Jahwe, ThLZ 99, 1974, Sp. 801–816.

34. *R. Smend:* Die Mitte des Alten Testaments (ThSt 101), Zürich 1970, S. 58: »An die Stelle der beiden Namen Jahwe und Israel ist im Neuen Testament der Name Jesus Christus getreten.«

35. *C. Westermann:* Theologie, S. 28 ff.: »Der rettende Gott und die Geschichte«; S. 88 ff.: »Der Segen«.

den Mittelpunkt zu stehen kommt[36]. Von diesem Ansatz her ließe sich sogar eine beide Testamente übergreifende Theologie entfalten, die das rettende und das segnende bzw. das erlösende und das erhaltende Handeln Gottes in beiden Teilen der Bibel darzustellen sich bemüht.

Sehr ähnlich kann man vorgehen, wenn man mit W. G. Kümmel die Einheit des Neuen Testaments in dem Wort Hebr 13,8 gegeben sieht: »Jesus Christus gestern und heute und derselbe auch in Ewigkeit«[37] und dazu Alfred Jepsens Vorschlag berücksichtigt, eine Theologie des Alten Testaments vom Worte Offb 4,8 her aufzurollen: »... der da war und der da ist und der da kommt«[38]. Nicht so sehr das Handeln, als vielmehr die Treue Gottes in der Geschichte würde hier zum Thema einer Biblischen Theologie erhoben.

Das Verbindende dieser eben aufgezählten Werke besteht darin, daß sie alle vom Konzept einer »Theo«-logie getragen sind. Dennoch ist die Zuordnung der beiden Teile der Bibel zueinander verschieden bestimmt. W. Zimmerli versteht das Alte Testament als ein »wartendes, offenes Buch«[39], während C. Westermann die Einheit der ganzen Bibel viel deutlicher meint wahrnehmen zu können[40]. Wer Zimmerlis Ansatz wählt, muß neben der Entfaltung des 1. Artikels des Apostolikums im Alten Testament jene des 2. Artikels im Neuen Testament stellen. Nach Westermann

---

36. A.a.O., S. 204: »An die neutestamentlichen Theologien ist die Frage zu richten, ob es nicht möglich ist, von einer gedanklich-begrifflichen Theologie zurückzukehren zu einer verbalen oder geschichtlichen Struktur der neutestamentlichen Struktur, die darstellt, was zwischen Gott und Mensch geschieht. Der erste Schritt dazu wäre die Erkenntnis, daß das, was geschehen ist, wichtiger ist als das, was darüber gedacht worden ist.« Ob dies für einen neutestamentlichen Theologen nachvollziehbar ist, bleibt abzuwarten. Gewiß kommt hier die Theologie des Paulus etwas zu kurz. Vgl. unten III. Kritisch zu Westermann auch *J. Barr:* Alt und Neu in der biblischen Überlieferung. Eine Studie über die beiden Testamente, München 1967, S. 61–98, bes. S. 77, mit Bezug auf frühere Aussagen Westermanns gleicher Art.

37. *W. G. Kümmel* schließt seine Theologie des NT mit den Worten: »Die den Hauptzeugen der Theologie des Neuen Testaments gemeinsame Grundanschauung hat darum der Brief an die Hebräer (13,8) klassisch zusammengefaßt: ›Jesus Christus [ist] derselbe gestern und heute und in Ewigkeit‹ « (S. 295).

38. *A. Jepsen:* Theologie des Alten Testaments. Wandlungen der Formen und Ziele, in: *ders.:* Der Herr ist Gott. Aufsätze zur Wissenschaft vom Alten Testament, Berlin 1978, S. 142–154, dort S. 151: »Die Darstellung der alttestamentlichen Gottesbotschaft scheint mir durchaus ein Eigengewicht zu haben; aber sie kann in der Tat nur vom Neuen Testament her gestaltet werden. Wie soll das geschehen? Auf der einen Seite muß das Gottesbild des Neuen Testaments Ausgangspunkt sein, auf der anderen darf dem Neuen Testament kein Schema aufgedrängt werden, das ihm fremd ist. Mir scheint, das Neue Testament selbst gibt einen Hinweis, der wie ein Ariadnefaden durch das ganze Alte Testament hindurchführt, wenn es von Gott spricht (Offb. 4,8): ›Heilig, heilig, heilig ist Gott, der Herr, der Allmächtige, der da war und der da ist und der da kommt.‹ « Anm. 10 wird auf Offb 1,8 hingewiesen.

39. *W. Zimmerli:* Theologie, S. 214.

40. *C. Westermann:* Theologie, S. 205.

kann man die verschiedenen Arten des Handelns Gottes im Alten und im Neuen Testament gleicherweise finden, während vom Ansatz Kümmels und Jepsens eine Teilung der Bibel zunächst gar nicht notwendig erscheint.

Damit wird aber die Frage brennend: Kann man beide Teile der Bibel wirklich so zusammensehen, daß sie als ein vollständiges Ganzes erscheinen, wie H. Gese es vorschlug, oder muß die Zuordnung der beiden Testamente zueinander doch dialektisch gesehen werden[41], so daß Kontinuität und Diskontinuität gleicherweise zum Vorschein kommen. Mit anderen Worten: Darf man die Zuordnung der beiden Teile unserer Bibel in althergebrachten Formulierungen, wie »Gesetz und Evangelium«[42], »Verheißung und Erfüllung«[43], »Schöpfung und Erlösung«, »Geschichte und Eschatologie«[44], weiterhin bestimmen in der Gewißheit, daß das Verhältnis der beiden Testamente ein komplexes ist und durch solche Worte mehr angedeutet als wirklich ausgesagt wird, oder ist es unsere Aufgabe, die Bibel als Einheit zu sehen, die wohl auch einige Differenzen aufzuweisen hat, aber nicht solche schwerwiegenden Unterschiede, daß man nicht von einer Einheit sprechen könnte?

3. Mir scheint, daß durch die Forderung Peter Stuhlmachers, in dem Wort »Versöhnung« die Mitte der Botschaft des Neuen Testaments zu sehen[45], der Unterschied zwischen den Testamenten erst richtig hervortritt, wiewohl sich Stuhlmacher besonders um eine Biblische Theologie bemüht. Dies darum, weil sich ein entsprechendes Wort im Alten Testament nicht finden läßt, das gleicherweise als Mitte dienen könnte. Man kann wohl, wie H. Gese es getan hat[46], die Bedeutung und das Verständnis der Sühne im Alten Testament herausstreichen, aber eine zentrale

---

41. Vgl. dazu R. Smend: Mitte, S. 57, freilich etwas anders nuanciert: »... es läßt sich allerdings gleich hinzufügen, daß diese Beziehung für den Christen, der nicht Israelit ist und dessen Gott nicht Jahwe heißt, keine undialektische sein kann.« Eindeutiger O. Merk, TRE VI, S. 471. Sehr schön stellt K. H. Schelkle: Israel und die Kirche im Neuen Testament, in: Die Kirche des Anfangs, FS H. Schürmann (EThSt 38), Leipzig 1977, S. 607–614, Gemeinsamkeiten und Unterschiede zwischen Israel und der Kirche heraus. Vgl. auch ders.: Theologie des Neuen Testaments II, Düsseldorf 1973, S. 33–57, und IV/2, Düsseldorf 1976, S. 156–185.

42. Vgl. dazu etwa R. Bultmann: Die Bedeutung des Alten Testaments für den christlichen Glauben, in: ders.: Glauben und Verstehen I, Tübingen 1980[8], S. 318ff.

43. W. Zimmerli: Verheißung und Erfüllung, EvTh 12, 1952/53, S. 34–54; J. Schniewind: Die Beziehung des Neuen Testaments zum Alten Testament, ZdZ 20, 1966, S. 93–100; U. Mauser: Gottesbild und Menschwerdung. Eine Untersuchung zur Einheit des Alten und Neuen Testaments (BHTh 43), Tübingen 1971, S. 4ff.

44. R. Bultmann: Geschichte und Eschatologie, Tübingen 1958; G. Strecker (Hg.): Das Problem der Theologie des Neuen Testaments (WdF 367), Darmstadt 1975, S. 18ff. Bezeichnenderweise hat G. Strecker seine Aufsätze unter dem Titel »Eschaton und Historie« (Göttingen 1979) herausgebracht.

45. P. Stuhlmacher: Vom Verstehen des Neuen Testaments. Eine Hermeneutik (NTD Erg. 6), Göttingen 1979, bes. S. 225 und die dort S. 225f. angegebene Literatur.

46. H. Gese: Die Sühne, in: Zur biblischen Theologie, S. 85–106.

Bedeutung nimmt dieses Wort, wie die Sache selbst, im Alten Testament doch wohl nicht ein. Es läßt sich zwar betonen, daß in der Spätzeit Israels allen Opferarten sühnende Kraft zugesprochen wurde – ein Zeichen dafür, daß das Bedürfnis nach Sühne zugenommen hat. Aber man kann nicht behaupten, daß die Sinnrichtung des Alten Testaments nur auf die Sühne oder auch nur hauptsächlich auf die Sühne hinausläuft, wiewohl das für den Kultus der Spätzeit Israels zugestanden werden kann. Dieser Sachverhalt scheint mir darauf hinzudeuten, daß die Einheit der Bibel in dem Worte »Versöhnung« doch nicht gefunden werden kann[47]. Wer, wie Stuhlmacher, vom Neuen Testament ausgeht, stößt über kurz oder lang auf ein Hindernis, das ihm zeigt, daß das Neue Testament das Alte nicht nur erfüllt oder überhöht bzw. vollendet, sondern auch zurückstellt. Mag der Alttestamentler von seiner Tendenz her, das Alte Testament auf das Neue hin auszulegen oder von Christus her zu verstehen, die Unterschiede zwischen den Testamenten nicht allzu gravierend finden, weil auch die Differenzen innerhalb der einzelnen Schriften des Alten Testaments erheblich sind; vom Neuen Testament her sieht die Sache etwas anders aus. Hier gibt es nicht nur den Weissagungsbeweis, sondern auch sichtliche Korrektur der Aussagen des Alten Testaments durch Jesus, Paulus und Johannes usw., eine Korrektur, die in solchem Ausmaß innerhalb des Alten Testaments und auch der jüdischen Schriften nicht erfolgt ist[48].

Damit haben wir die beiden Punkte angezeigt, innerhalb deren eine Zuordnung der beiden Testamente erfolgen kann: Einerseits muß der Tatsache Rechnung getragen werden, daß das Alte Testament im Neuen zitiert und weitergeführt wird, andererseits darf nicht vergessen werden, daß das Neue Testament das Alte bewußt korrigieren und damit etwas zurücktreten lassen will. Es legt sich von hier aus eine Zuordnung der beiden Teile der Bibel zueinander nahe, die der der beiden Naturen Christi entspricht: Sie gehören ungetrennt und unvermischt zueinander.

4. Sucht man nun nach einem Wortpaar, das diese Zuordnung umschreibt, so legt sich wiederum zunächst Zimmerlis Ansatz nahe, für das Alte Testament Jahwe als Mittelpunkt zu wählen. Das bedeutet, daß Christus als Mitte des Neuen Testaments angesehen wird. Tatsächlich haben sowohl L. Goppelt als auch E. Lohse gemeint, daß vom Kerygma des gekreuzigten und auferstandenen Christus her eine Theologie des Neuen Testaments zu entwerfen sei[49]. Die Zuordnung der beiden

---

47. So auch *P. Pokorný:* Biblische Theologie, Sp. 6. Anders freilich *P. Stuhlmacher:* Evangelische Schriftauslegung heute, in: *ders.:* Schriftauslegung auf dem Wege zur biblischen Theologie, Göttingen 1975, S. 178: »In der Proklamation Jesu Christi als des Versöhners kommt also auch ein ganz entscheidender Zug, wenn nicht sogar die gesamte Intention des Alten Testaments zur Vollendung« (bei Stuhlmacher gesperrt).

48. Dies scheint mir bei *Tr. Holtz:* Zur Interpretation des Alten Testaments im Neuen Testament, ThLZ 99, 1974, Sp. 19–32, etwas zu kurz zu kommen.

49. *L. Goppelt:* Theologie, S. 56, sieht im Osterkergygma den Ansatz zu einer neutestamentlichen Theologie; *E. Lohse:* Theologie, S. 9, versteht die Theologie des Neuen Testaments als Darlegung, wie das Kerygma des gekreuzigten und Auferstandenen Christus in der kir-

Testamente zueinander könnte also durch eine Person, einen Namen erfolgen, und zwar dort Jahwe, hier Jesus Christus, wie R. Smend es gefordert hat[50], auch wenn bei Goppelt und bei Lohse nicht so sehr der Name, sondern das Kerygma hervorgehoben wird.

Aber ist eine solche Zuordnung auch wirklich eingängig? Daß sie der Sache der Bibel vollauf Rechnung trägt, scheint mir ohne Zweifel gegeben. Doch dürfte sie nicht in derselben Weise dynamisch und hilfreich für uns heute sein wie die Zuordnung durch die Worte »Gesetz und Evangelium« in der Zeit der Reformatoren, zwei Worte, die (wie die Namen Jahwe und Jesus Christus) auch positiv gefüllt worden sind. Wir denken etwa an die Einschätzung des Gesetzes durch Martin Luther. Mein Vorschlag wäre darum, das Alte Testament unter dem Gesichtspunkt des »Lebens«, das Neue Testament unter dem des »neuen Lebens« durchzugehen, und das einfach deswegen, weil diese Worte uns heute näher liegen als die uns zunächst fremden Namen und dann weil diese beiden Worte noch nicht für eine Zuordnung der Testamente gebraucht wurden und darum auch noch nicht verbraucht sind.

Dagegen lassen sich sofort Einwände erheben: das Wort »Leben« kommt im Alten Testament im Verhältnis zum Namen »Jahwe« oder zur Gottesbezeichnung »Elohim« recht selten vor, und nur an ganz wenigen Stellen ist es theologisch gefüllt. Welche Bedeutung es allerdings »in der Kultsprache der Psalmen« oder bei Ezechiel hat, haben G. von Rad[51] einerseits und W. Zimmerli[52] andererseits sehr schön gezeigt. An zwei Stellen wird darüber hinaus deutlich, welche Bedeutung die Frommen des Alten Testaments dem »Leben« zumaßen: »Wer mich findet, findet das Leben«, sagt die Weisheit (Spr 8,35), und am Schluß des Deuteromomiums wird hervorgehoben, daß Israel mit dem Gebot Leben und Tod wählen kann (Dtn 30,15.19). Das heißt, daß sowohl Weisheit als auch Recht in Israel als Weisheit bzw. Recht zum Leben verstanden worden sind. Wie das Alte Testament verstehen wir unter »Leben« nicht das nackte Leben im Sinne eines Vegetierens, sondern qualifiziertes, gesegnetes Leben[53].

---

chengründenden Predigt entfaltet wird. Demgegenüber will *U. Mauser:* Gottesbild, von der Inkarnation ausgehen und findet im Alten Testament die Zuwendung Gottes zum Menschen, seine Anthropomorphismen wichtig, im Neuen Testament hingegen die Inkarnation: »Der Mensch des Alten Testaments, der in gewissem Sinn sein Leben ἐν μορφῇ θεοῦ erfährt, ist der Bote des Menschen Jesus, dem das christliche Bekenntnis vere Deus entspricht« (S. 17).

50. *R. Smend:* Mitte, S. 48.

51. *G. von Rad:* »Gerechtigkeit« und »Leben« in der Kultsprache der Psalmen, in: *ders.:* Gesammelte Studien I (ThB 8), München 1971[4], S. 225–247.

52. *W. Zimmerli:* »Leben« und »Tod« im Buche des Propheten Ezechiel, ThZ 13, 1957, S. 494–508.

53. Vgl. noch *H.-J. Kraus:* Vom Leben und Tod in den Psalmen, in: *ders.:* Biblisch-theologische Aufsätze, Neukirchen-Vluyn 1972, S. 258–277; *L. Wächter:* Erfüllung des Lebens nach dem Alten Testament, ZdZ 22, 1968, S. 284–292.

Daß die ζωή im Sinne des »neuen«, des »ewigen Lebens« im Neuen Testament eine erhebliche Rolle spielt, braucht nicht eigens hervorgehoben zu werden, auch wenn die Formulierung »Neuheit des Lebens« nur an einer einzigen Stelle des Neuen Testaments (Röm 6,4) anzutreffen ist.

5. Freilich ist »Leben« nicht die Mitte des Alten Testaments und »neues Leben« nicht jene des Neuen. Eher könnte man sagen, daß hier der Zielpunkt angesprochen ist in dem Sinne, daß das Alte Testament das »Leben« anvisiert[54], das Neue Testament das »neue Leben«[55]. Man könnte auch meinen, daß in diesem Wortpaar so etwas wie »das kleinste gemeinsame Vielfache« gefunden wurde, um es in der Sprache der Mathematik auszudrücken. Es handelt sich um ein übergreifendes Wortpaar, in dem alles, was in den beiden Testamenten ausgesagt ist, Raum finden kann, also auch jene untheologische Weisheit, die W. Zimmerli zwar in seine Theologie aufnimmt, die aber von seinem Ansatz her nicht ganz hineingehört, ebenso die Aussagen des Hohenliedes oder des Buches Esther. Auch die verschiedenartigsten Aussagen des Neuen Testaments, wie die Reich-Gottes-Predigt Jesu einerseits und die Ermahnungen des Jakobusbriefes andererseits, könnten hier untergebracht werden.

6. Es muß allerdings hinzugefügt werden, daß diesem Wortpaar nicht zentrale Bedeutung zugemessen werden muß. Mit demselben Recht kann man sagen, daß das Alte Testament von der Schöpfung, vom 1. Artikel handelt, das Neue Testament von der Erlösung, vom 2. Artikel, oder daß es im Alten Testament um Geschichte, im Neuen um Eschatologie geht usw. Die Worte dürften es nicht ausmachen. Sie können ersetzt werden und werden ersetzt werden müssen, wenn es ihnen geht wie allen Worten, wenn sie also abgegriffen oder vereinnahmt werden. Wenn aber das Verhältnis der beiden Testamente zueinander auf dieser Grundlage bestimmt wird, so treten Möglichkeiten und Grenzen einer gesamtbiblischen Theologie sehr deutlich hervor.

II.

1. Die Möglichkeiten einer gesamtbiblischen Theologie bestünden darin, daß die beiden Theologien, jene des Alten und die des Neuen Testaments, möglichst ähn-

---

54. Vgl. *H.-J. Kraus*: Theologie der Psalmen (BK XV/3), Neukirchen-Vluyn 1979, S. 206: »Leben ist im AT das höchste Gut.«

55. Wenn *U. Luck*: Inwiefern ist die Botschaft von Jesus Christus »Evangelium«?, ZThK 77, 1980, S. 24–41, dort S. 40 schreibt: »Das Evangelium ist die Antwort auf die den Menschen in seinem Grunde bewegende Frage nach der Gerechtigkeit, nach der Ordnung, die sein Leben trägt, nach der Heil und Lebenden schenkenden Ordnung der Welt«, und S. 41: »Glaube als das das Leben in seinen widrigen Erfahrungen in der Welt tragende und durchhaltende Vertrauen« definiert, so steht im Hintergrund eher eine Lebenstheologie als eine Theologie des neuen Lebens. Es scheint somit nicht zufällig, daß U. Luck für seine Glaubensdefinition Jes 7,9 heranzieht. Wird hier aber nicht das AT zum Maßstab des NT? Vereinnahmt nicht das »Leben« das »neue Leben«?

lich aufgebaut werden. Daß hier nicht eine Theologiegeschichte entfaltet wird, wie es einst G. von Rad für das Alte und R. Bultmann für das Neue Testament taten, dürfte damit deutlich sein. Es könnte aber so geschehen, daß jeweils im ersten Teil von Gott gesprochen wird, der Leben bzw. neues Leben gibt. Daß innerhalb einer neutestamentlichen Theologie nicht nur von Gott, sondern auch von Jesus Christus gesprochen wird, ist völlig klar. Doch könnte eine Darstellung auch hierin parallel laufen, wenn man etwa die von Klaus Koch[56] hervorgehobene Periodisierung Gottes als Elohim-Schöpfergott, El-Schaddai-Führungsgott und Jahwe-Rettergott in der Priesterschrift anknüpft oder an C. Westermanns Zweiteilung von Gott als Retter und Segensspender. Man könnte sogar religionsgeschichtlich vorgehen und zwischen Nomadentradition (Führungsgott), Kulturlandtradition (Schöpfergott) und Schilfmeertradition (Rettergott) differenzieren und damit auf einen alttestamentlichen Ansatz zur Trinitätslehre hinweisen, der in der Priesterschrift unverkennbar gegeben ist.

In einem zweiten Teil wäre dann vom »Leben« bzw. vom »neuen Leben« zu sprechen. Innerhalb einer alttestamentlichen Theologie wäre auf die Bedeutung von Recht, Weisheit und Kultus als Lebensordnungen sowie auf Land, Segen, Führung und Offenbarung als Lebensgaben einzugehen, während die Theologie des Neuen Testaments mehr das verschiedenartige Verständnis des Heiles[57] in den einzelnen neutestamentlichen Schriften herausarbeiten könnte. Hier würden auch die Differenzen zwischen den beiden Testamenten schon in der Anlage deutlich.

In einem dritten Teil wäre dann von einer Bedrohung oder Gefährdung des Lebens bzw. des neuen Lebens durch Sünde, Tod und Teufel zu sprechen. Hier wäre die Gerichtsbotschaft der Propheten und die Frage nach dem Leiden innerhalb der alttestamentlichen Theologie zu behandeln, während die neutestamentliche Theologie die Überwindung der Anfechtungen und Schwärmereien zu thematisieren hätte.

In einem vierten Teil wäre die Erwartung des neuen Lebens, im Alten Testament als Heilsverheißung, im Neuen Testament als Vollendung herauszustellen. In einem Schlußabschnitt müßte dann das Verhältnis der beiden Testamente nochmals durchleuchtet werden.

2. Diese kurze Skizze zeigt an, wieweit man die beiden Testamente parallel sehen kann. In beiden ist vom »Leben« die Rede, sogar in beiden vom »neuen Leben«. Während aber das Alte Testament sich mehr dem durch Geburt bzw. Schöpfung

---

56. Vgl. dazu *K. Koch:* šaddaj – Zum Verhältnis zwischen israelitischer Monolatrie und nordwestsemitischem Polytheismus, VT XXVI, 1976, S. 299–332.

57. Vielleicht darf man folgendermaßen differenzieren: das in Tod und Auferstehung Jesu nahegebrachte Heil (Paulus); das in Jesu Offenbarung erlebte Heil (Johannes); das in Jesus erschienene Heil (Markus), das in der Gemeinde zu bewährende Heil (Matthäus); das die Zeit der Kirche bestimmende Heil (Lukas); das im Augenblick bedrohte Heil (Hebräerbrief); das hereinbrechende Endheil (Offenbarung) usw. Die Formulierungen sind noch genauer zu reflektieren.

gegebenen Leben widmet, spricht das Neue Testament fast ausschließlich vom »neuen Leben«, wie es durch das Evangelium bzw. in der Taufe aufgebrochen ist. Im Alten Testament ist das »neue Leben« Verheißung, ein Teil des Lebens, das zukünftige irdische Leben. Es stellt wohl das alte Leben in den Schatten, aber es bleibt Leben, gehört zum Leben hinzu, auch wenn es wunderbar anders, neu ist. Im Neuen Testament steht hingegen das »neue Leben« so sehr im Mittelpunkt, daß es das »Leben« als altes Leben ausweist. Das Verhältnis zur vorfindlichen Welt ist gebrochen. Das gegenwärtige Leben ist nur insofern von Interesse, als es auf das »neue Leben« hinweist.

3. Von hier aus wird verständlich, wieso Forscher am Alten Testament einen besseren Zugang zu einer gesamtbiblischen Theologie haben. Weil sie das »Leben« im Alten Testament darstellen, fällt es ihnen nicht schwer, das »neue Leben«, wie es im Alten Testament thematisch als Verheißung entfaltet wird, zu integrieren[58]. Zum »Leben« gehört das »neue Leben« immer hinzu, es ist Teil des Lebens. Umgekehrt tun sich aus demselben Grunde die Ausleger des Neuen Testaments in dieser Hinsicht schwer. Wie das Neue Testament selber haben sie nur insofern am Alten Testament Interesse, als es auf das »neue Leben« hinweist. Das bedeutet, daß man vom Alten Testament her das Neue Testament im Zusammenhang des »Lebens« vereinnahmen kann, wodurch die Sicht der Einheit der Bibel sich wie von selbst ergibt. Aber das Neue Testament reklamiert nur die Verheißung des »neuen Lebens« und die Anweisungen zum rechten Verhalten aus dem Alten Testament für sich, jene Teile also, die auf das »neue Leben« hinweisen oder dem Wandel im »neuen Leben« dienlich sind[59]. Daneben wird vom Neuen Testament alles abge-

---

58. Vgl. etwa *H. H. Schmid:* Unterwegs zu einer biblischen Theologie?, in: *K. Haacker u. a.:* Biblische Theologie, S. 89 f.: »Bei dem die beiden Testamente durchziehenden Überlieferungsprozeß geht es somit ... um einen Prozeß der immer neuen Bewältigung der Frage nach dem Leben in dieser Welt.«

59. Vgl. dazu die Aussagen von *G. Strecker:* »Biblische Theologie«. Kritische Bemerkungen zu den Entwürfen von Hartmut Gese und Peter Stuhlmacher, in: Kirche, FS *G. Bornkamm,* Tübingen 1980, S. 425 ff., dort S. 434: »Es zeigt sich zur Genüge, daß ›Biblische Theologie‹, wenn sie aus neutestamentlicher Perspektive das Alte Testament interpretiert, nicht die ursprünglich gemeinten Textaussagen, sondern ein übergeordnetes Interpretationsprinzip, wonach das alttestamentliche Schrifttum seiner Intention nach auf das Neue Testament angelegt ist, zur Geltung bringt. Hier findet auf das Alte Testament ein Auslegungsschlüssel Anwendung, der die spezifische Eigenart der alttestamentlichen Texte nicht mehr zur Sprache kommen läßt.« Freilich hat die Christenheit jahrhundertelang das AT so gelesen. Das hebt *E. Haenchen:* Das alte »Neue Testament« und das neue »Alte Testament«, in: *ders.:* Die Bibel und wir. Ges Aufs. II, Tübingen 1968, S. 18, sehr schön hervor: »Trotzdem ist auch heute noch den meisten evangelischen Christen, ja auch den meisten evangelischen Theologen, der Gedanke ganz fremd, daß das in seinem *ursprünglichen* Sinn verstandene Alte Testament noch nie zum christlichen Kanon gehört hat. Und doch ist das der Fall. Denn in dem Augenblick, wo wir *dieses* Alte Testament zu Gesicht bekommen, ist es für uns etwas ganz anderes geworden, als es für alle früheren christlichen Generationen war – es hat sich zurück-

lehnt, was das »neue Leben« irdisch vereinnahmen will, um es zum »Leben« zu gestalten, und das bedeutet aus der Sicht des Neuen Testaments zum »alten Leben«[60].

III.

1. Die Grenzen einer gesamtbiblischen Theologie sind damit deutlich geworden. Es dürfte nicht sachgemäß sein, eine Darstellung der Theologie der Bibel zu schreiben, ohne zwischen den beiden Teilen sauber zu differenzieren. Denn entweder führt eine solche Darstellung zur Vereinnahmung des Neuen Testaments durch das Alte, oder sie führt zur Vergewaltigung des Alten Testaments durch das Neue. Das zeigt recht gut die Forderung C. Westermanns, im Neuen Testament mehr auf die verbale Struktur, d. h. auf das Handeln Gottes, zu achten. Eine solche Sicht ist möglich, besonders wenn man an die Evangelien und die Apostelgeschichte denkt. Sie läßt sich aber für den Apostel Paulus nicht durchführen. Und nicht nur für ihn. Schon eine von ihm selbst übernommene Formel[61] ist stark nominal geprägt: »Ihn hat Gott hingestellt als Sühnemittel[62] ... in seinem Blut zum Erweis seiner Gerechtigkeit durch die Vergebung der zuvor geschehenen Übertretungen in der Zeit der göttlichen Geduld ...« (Röm 3,25).

Für Paulus selber muß wohl gelten, daß er von der Macht der Sünde und des Todes einerseits und der Gerechtigkeit und Gnade andererseits spricht, vom Glauben und vom Gehorsam, ohne daß das Geschehen eine besondere Rolle spielte. Selbstverständlich ist der Tod Christi als Heilstod vorausgesetzt, also ein Handeln Gottes, das die neue Welt heraufführte. Aber damit tritt für Paulus jedes weitere Geschehen zurück. Das Eschaton ist eingebrochen, die Christen haben den Geist

---

verwandelt in das Alte Testament eines vorchristlichen Judentums, das selbst eine Fülle verschiedener Schriften war, die zu verschiedener Zeit entstanden waren.«

60. *Jörg Jeremias:* Gott und Geschichte im Alten Testament. Überlegungen zum Geschichtsverständnis im Nord- und Südreich Israels, EvTh 40, 1980, S. 384–396, meint S. 396: »Der neutestamentlichen Gemeinde aber wird durch die Propheten verdeutlicht, daß sie nur dann von einer Einheit der Schrift sprechen kann, nur dann von der Überhöhung aller prophetischen Erwartungen im Kreuz Christi ... wenn sie zuvor das Kreuz Christi als Gericht gedeutet hat, und zwar nicht nur als Gericht über alle Selbstverwirklichung des Menschen, sondern abgründiger auch als Gericht über alle Versuche, den Willen Gottes zu leben.« Siehe dazu auch Abschnitt IV.

61. Daß Paulus hier eine Formel zitiert, ist seit der Analyse von *E. Käsemann:* Zum Verständnis von Röm 3,24–26, ZNW 43, 1950/51, S. 150–154, zum Allgemeingut der Forschung geworden.

62. Da es hier nur um die Nomina geht, ist die Übersetzung von ἱλαστήριον mit »Sühnemittel« nicht näher zu begründen, an der ich trotz P. *Stuhlmachers* Ausführungen: Zur neueren Exegese von Röm 3,24–26, in: Jesus und Paulus, FS W. G. *Kümmel*, Göttingen 1975, S. 315–333, und denen von *U. Wilckens:* Der Brief an die Römer (EKK 6/1), Neukirchen-Vluyn 1978, z. St., weiterhin festhalten möchte. Die Terminologie ist in Röm 3 zu anders, als daß man eine genaue Kenntnis von Lev 16 voraussetzen könnte.

als Erstlingsgabe erhalten, das »neue Leben« ist im Gehorsam, unter der Führung des Geistes, im Dienste Christi und im Kreuz gegenwärtig. Darum sieht sich der Apostel gerufen, das Evangelium, d. h. die Botschaft von der Erlösung in Christus, zu verkündigen, und dies bedeutet für ihn nicht in erster Linie, Taten Jesu oder Gottes weiterzusagen, sondern das in Christus angebrochene Eschaton zu vermitteln. Somit wäre zu fragen, ob die Hervorhebung des sichtbaren Handelns Gottes, wie es die verbale Struktur verlangt, dem Apostel nicht zutiefst verdächtig gewesen sein muß. Eine Theologie, die betont das Sichtbare, Erzählbare hervorhebt, dürfte der Intention dieses Apostels, der auf das Unsichtbare sehen will (2 Kor 4,18), zuwiderlaufen. Damit steht sie in der Gefahr, zur Weisheit dieser Welt zu werden, die in ihrer Weisheit die Torheit der Kreuzespredigt nicht begreift, als ein Unternehmen also, das sich bemüht, Christus in den herrlichen Tempel einer schönen gesamtbiblischen Theologie einzubauen, die aber gerade darin der Versuchung ausgesetzt ist, Christus zu verwerfen, obwohl er als Schlußstein vorgesehen war, weil er in den herrlichen Bau dann doch nicht ganz hineinpaßt.

2. Dies führt uns zur These, daß es notwendig ist, das Alte Testament wie auch das Neue zunächst einmal aus sich selbst heraus zu verstehen. Antonius H. J. Gunneweg hat das für das Alte Testament folgendermaßen formuliert: »Es kommt vielmehr darauf an, die konkreten Inhalte der Religion Israels aus ihren eigenen, wechselvollen Horizonten heraus zu erklären und zu verstehen.«[63]

Neu ist diese Forderung höchstens in Beziehung an die theologische Auslegung des Alten Testaments, denn das Neue Testament wurde schon seit geraumer Zeit auf diese Weise ausgelegt[64]. Die Tendenz, das Alte Testament von Christus herauszulegen, liegt aber nicht sehr weit zurück[65]. Daß es heute nicht aktuell ist, das Alte Testament so zu lesen, könnte auch daran liegen, daß die Einsicht um sich gegriffen hat, daß die Welt und der Mensch zuerst verstanden werden wollen, bevor sie ausgerichtet werden, auch wenn es um eine Ausrichtung auf Christus hin geht.

3. Damit haben wir ein entscheidendes Unterscheidungsmerkmal der beiden Testamente angeschnitten. Das Neue Testament proklamiert die Herrschaft des gekreuzigten und auferweckten Christus und ruft in seinen Gehorsam. Es spricht also vom »neuen Leben« als von einer neuen Möglichkeit sinnvollen, richtigen Lebens in einer durch Christi Heilstod entstandenen neuen Situation. Dieses »neue Leben« stellt alles bisher Gewesene in den Hintergrund, sei es, daß es dieses Leben als Leben in der Sünde[66] oder in der Unwissenheit[67] interpretiert, sei es, daß es den

---

63. *A. H. J. Gunneweg:* Vom Verstehen des Alten Testaments (ATD Erg. 5), Göttingen 1977, S. 141.

64. Schon *G. L. Bauer* verlangte in seiner Hermeneutik, »... daß jeder neutestamentliche Autor für sich gesehen, aus seiner Zeit erklärt und damit religionsgeschichtlich eingeordnet werden muß.« Vgl. *O. Merk:* Biblische Theologie, S. 174f.

65. Vgl. *W. Vischer:* Das Christuszeugnis des Alten Testaments, München 1934.

66. Vgl. seine Ausführungen in Röm 2–7.

67. Apg 3,17; 17,30.

Anbruch der Himmelsherrschaft proklamiert. Christus ist nicht nur das Ziel, sondern auch die Norm[68] dieses neuen Lebens, von dem man erwartet, daß es demnächst völlig hereinbrechen wird. Weil das Neue Testament von diesem »neuen Leben« völlig durchdrungen ist, wird es selbst zur Norm allen christlichen Lebens[69].

Vom Alten Testament kann das nicht in derselben Weise gelten. Schon die Tatsache, daß es so viel erzählt oder berichtet, zeigt an, daß es an dem Leben, wie es ist, interessiert ist[70]. Daneben tritt das Leben, wie es sein sollte oder sein müßte, dargelegt in den kultischen, rechtlichen und weisheitlichen Texten sowie in den Prophetenworten. So hält uns das Alte Testament weit mehr als das Neue dazu an, das Leben zu verstehen und ernst zu nehmen, so wie es nun einmal ist, während das Neue Testament uns ganz ausrichten will auf das neue Leben hin.

IV.

1. Eine zweiteilige Darstellung einer gesamtbiblischen Theologie hätte die große Chance, das Leben in seiner Gesamtheit darzustellen, d. h. in seiner dialektischen Einheit. Von einer Theologie des Alten Testaments als Theologie des Lebens könnte man sich neue Einsichten in die Vielfältigkeit des Lebens schenken lassen, eine Einsicht, die durch die ganz verschiedenen Studien zum Alten Testament bereits vorhanden ist, bloß nicht unter dieses Vorzeichen gestellt wurde. Dann wäre nämlich klar, daß das Alte Testament vom ganzen Leben so spricht, wie es ist oder unter Gottes Führung ablaufen sollte. Selbstverständlich gehören zu diesem Leben unter Gott alle Lebensbereiche hinzu, wie Weisheit und Recht, aber auch der Lobgesang der Liebe im Alten Testament Raum gefunden haben. Auch die Geschichte der Kirche wäre von hier aus ähnlich der Geschichte des israelitischen Gottesvolks zu sehen. Daß alle Strukturfragen der Kirche, alles, was über das Einzelschicksal hinausgeht, viel bessere Vorbilder im Alten Testament hat als im Neuen, ist längst erkannt. Unter diesem Gesichtspunkt ist das Alte Testament bereits in den ersten christlichen Jahrhunderten eifrig studiert worden. Alles, was vorfindlich ist, hat im Alten Testament irgendwo sein Vorbild, seinen Typus, gerade auch das Vorfindliche in der Kirche[71].

---

68. *W. Marxsen:* Das Problem des neutestamentlichen Kanons, in: Das Neue Testament als Kanon, hg. v. *E. Käsemann,* Göttingen 1970, S. 242: »Kanonisch im Sinne einer nicht wandelbaren Norm ist allein der Kyrios, ist die Offenbarung Gottes in Jesus Christus. Aber dieser Kanon begegnet mir immer nur im Beziehungsbogen. Umgekehrt ist der Beziehungsbogen aber keineswegs identisch mit der Offenbarung, mit dem Kyrios.«
69. Zur normativen Funktion auch der neutestamentlichen Tradition vgl. *F. Hahn:* Die Heilige Schrift als älteste christliche Tradition und als Kanon, EvTh 40, 1980, S. 456–466, dort S. 461–463.
70. Zur Diesseitigkeit des AT vgl. *H. J. Kraus:* Probleme und Perspektiven Biblischer Theologie, in: *K. Haacker u. a.:* Biblische Theologie, S. 122f.
71. Das wird schön ausgeführt durch *R. Bultmann:* Die Bedeutung des AT, S. 320.

Und nicht nur in der Kirche, sondern auch in allen Religionen. Es kann nicht zufällig sein, daß sich schon die urchristlichen Missionare der religiösen Motive ihre Umwelt bedienten und die Apologeten des 2. Jahrhunderts das Denken der Philosophen in das christliche Denken einbrachten. Insofern sich religiöses Leben als Leben vor Gott ereignet, hat es im Alten Testament seinen Typus, unabhängig davon, ob es sich um christliches oder außerchristliches religiöses Leben handelt. Damit würde eine Theologie des Alten Testaments zum Ausdruck bringen, daß jede Generation, jede Zeit erneut vor Christus steht.

2. Diesen Gesichtspunkt könnte eine Theologie des Neuen Testaments dadurch unterstreichen, daß sie herausstellt, daß »neues Leben« wohl im Gehorsam, im Dienst Christi, im Geist gelebt werden kann, daß dieses »neue Leben« aber niemals zurückliegt als eine greifbare, faßbare Realität, sondern immer nur als Verheißung, als Möglichkeit bereitliegt, als ein Zukunftsgut, das wohl Gegenwart, niemals aber Vergangenheit werden kann. Das schließt ein, daß auch der Christ immer neu vor diesem »neuen Leben«, vor Christus steht, um von ihm in seinen Dienst, in seinen Gehorsam, unter sein Kreuz gerufen zu werden. Das Neue Testament bleibt somit Norm des »neuen Lebens«.

3. Es gibt allerdings im Neuen Testament Texte, die das »neue Leben« anders beschreiben, nämlich als ein ordentliches Leben nach der Bekehrung und der Taufe, als ein durch Christus »erneuertes« Leben. Zu denken wäre hier an Lukas, der immerhin eine Apostelgeschichte schreibt, an das Matthäusevangelium, das die Kirche als corpus mixtum versteht, oder an die Pastoralbriefe mit ihren Forderungen zu einem gediegenen Leben. Man könnte vereinfachend es auch so sagen: Alles, was in der letzten Zeit als »frühkatholisch« angesehen wurde, sieht das »neue Leben« im Sinne eines »erneuerten« Lebens, d. h. eines Lebens, das einen neuen Anfang bekam und damit weiterlaufen kann, weil es nicht mehr so ist wie das alte, das einstige. Diese Texte tragen der Grundintention des Neuen Testaments, wie sie klassisch bei Paulus formuliert ist, nicht Rechnung. Das ist längst erkannt. Sie hätten aber innerhalb einer neutestamentlichen Theologie unter dem Stichwort »neues Leben« durchaus Platz.

4. Eine gesamtbiblische Theologie unter dem Stichwort »Leben – neues Leben« in zwei getrennten Teilen[72] könnte somit helfen, daß wir uns selbst, unsere Umwelt, die ganze Schöpfung, unsere Geschichte, auch die Kirchengeschichte, auf dem Hintergrund des Alten Testaments besser verstehen und uns gleichzeitig vom Neuen Testament ausrichten lassen auf das völlig Neue hin, das immer neu bleibt, weil es das Gottesreich, das völlige Leben in Gott ist. Da beides, Verstehen und Ausgerichtetwerden, zu unserem Leben hinzugehört, ist eine gesamtbiblische

---

72. Eine solche könnte auch das von G. Strecker: »Biblische Theologie«, S. 444, vermißte hermeneutische Defizit einbringen. Allerdings müßte dann die Frage nach dem »Woher und Wohin des Menschen« (S. 445) abgewandelt werden in eine nach dem Woher und Wohin des Lebens, genauer, nach dem Wie und Wohin des Lebens.

Theologie unter diesem Vorzeichen und in den aufgezeigten Grenzen nicht nur möglich, sondern auch erstrebenswert.

Weil aber jede Generation, jeder Mensch, allezeit, insofern er christlich oder religiös motiviert ist, in derselben Weise vor Christus steht, das Leben vor Gott schätzt und das neue Leben erstrebt, auf es zugeht oder bereits von ihm ergriffen ist, dürfte sich von hier aus auch eine ökumenische Verständigung als möglich erweisen, und das bedeutet: Toleranz.

8. Die Arbeit der Projektgruppe »Biblische Theologie« in den Jahren 1976–1981*
Henning Graf Reventlow

Die Gründung einer Projektgruppe »Biblische Theologie« wurde im März 1975 in Bethel beschlossen, um ein zentrales, aber bisher wenig beachtetes Gebiet, das die Arbeit an beiden Testamenten verbindet, in ein engeres wissenschaftliches Gespräch zu bringen, wie es am besten in einem regen persönlichen Austausch von Vertretern der alt- und neutestamentlichen Disziplinen gestaltet werden kann. Im Rückblick auf die bisherige Arbeit der Projektgruppe kann man heute sagen, daß sie ihrer Gesprächsaufgabe durchaus gerecht geworden ist, auch wenn manche Wünsche, wie die nach regelmäßiger Teilnahme auch von Kollegen aus dem Bereich der Systematischen Theologie, offengeblieben sind und die Projektgruppe keineswegs zu einem abgeschlossenen Gesamtresultat ihrer Arbeit gelangt ist. Darin spiegelt sich die Eigenart ihres Arbeitsgebietes: geht es doch in der Biblischen Theologie, wenn sie die Frage nach dem Verhältnis der beiden Testamente zueinander und ihrem theologischen Verständnis als Heilige Schrift der christlichen Kirche stellt, um ein grundsätzlich offenes Problem, um eine vielfältige Fragestellung mit zahlreichen Aspekten, auf die so viele Antworten möglich sind, wie es individuelle Perspektiven gibt. Auf unterschiedlichen Gebieten die Fruchtbarkeit und theologische Notwendigkeit einer gesamtbiblischen Sicht aufzuzeigen, ist der Projektgruppe in ihren verschiedenen Zusammenkünften gelungen. Lieber noch hätte sie allerdings auch die Kritiker der Möglichkeit einer Biblischen Theologie in ihren Reihen gesehen, die leider der Arbeit meist fernblieben. Daß sie bei den für die Zukunft geplanten Tagungen willkommen sind, ja, daß kaum auf sie verzichtet werden kann, sei bei dieser Gelegenheit wiederholt. Eine Diskussion kann nur weiterführen, wenn man sich ihr auch stellt!

Die erste Zusammenkunft der Projektgruppe vom 2.–4. 3. 1976 in Bethel diente der Vorstellung und Diskussion bereits bekannter grundsätzlicher Positionen. So stellte H. Gese in seinem Beitrag die Gedanken noch einmal zusammen, die seinem Aufsatz »Erwägungen zur Einheit der biblischen Theologie«[1] zugrunde liegen. Der Beitrag von P. Stuhlmacher: »Zum Thema: Biblische Theologie des Neuen Testaments« lag ebenso wie das kritische Referat von H. H. Schmid: »Unterwegs zu einer neuen Biblischen Theologie?« bald darauf auch im Druck vor[2]. Während mit Geses und Stuhlmachers Ansatz eine traditionsgeschichtliche Sicht

---

*In Kurzfassung vorgetragen am 30. September 1981.

1. *H. Gese:* Vom Sinai zum Zion (BevTh 64), München 1974, S. 11–30. Zur Position Geses vgl. auch *Verf.:* Hauptprobleme der Biblischen Theologie im 20. Jahrhundert, EdF 203, 1983, S. 141 ff.

2. In: *K. Haacker u. a.:* Biblische Theologie heute. Einführung – Beispiele – Kontroversen

des Verhältnisses der Testamente zu Worte kam – die von Schmid kritisch in Frage gestellt wurde –, gehört der Beitrag von H. Hübner: »Das Gesetz als elementares Thema einer biblischen Theologie?«[3] bereits in die Reihe der Versuche, die Beziehung zwischen den Testamenten auf einem thematisch begrenzten und sachlich konzentrierten Gebiet darzustellen. Diese Art der gesamtbiblischen Besinnung sollte für die weitere Arbeit der Projektgruppe sich als besonders fruchtbar erweisen. Dagegen wurde der linguistische Sonderweg, der auf der ersten Zusammenkunft durch einen Vortrag von E. Güttgemanns: »Biblische Theologie als linguistische Aufgabe« vertreten wurde, später nicht weiterverfolgt.

Die zweite Zusammenkunft der Projektgruppe im März 1977 in Bethel erhielt ein eigenes Gesicht durch die beiden Referate, die, jeweils ausgehend von einem der beiden Testamente, die Glaubens*erfahrung* als möglichen Ansatzpunkt einer Biblischen Theologie reflektieren. Angesichts ihres Versuchscharakters blieben leider beide Vorträge ungedruckt.

In seinen Ausführungen unter dem allgemeinen Thema »Wahrheit und christliche Theologie« ging Marxsen von der Frage nach Gott als dem Thema der Theologie schlechthin aus. Bezogen auf die Aufgabe der Biblischen Theologie bedeutet das: Die These von der Identität des Gottes des Alten und des Neuen Testament muß angesichts der Vielfalt von »Theologien« der einzelnen biblischen Schriften als Arbeitshypothese begründet werden. Die Unzulänglichkeit der bisherigen Versuche dazu beruht vor allem darauf, daß wir die Einheit Gottes in der postulierten Einheit der Geschichte gesucht haben. Dadurch reden wir von vornherein aus einem Abstand heraus. Gehen wir vom Neuen Testament aus, reden wir dagegen als christliche Theologen von *unserem* Gott, der Abstand ist bereits überbrückt. Für die Biblische Theologie geht es darum, ob wir unseren Gott in der Bibel wiederfinden. Wahrheit, wenn *von,* nicht *über* Gott gesprochen wird, gilt: wenn Gott uns betrifft. Theologie ist dann Bekenntnis. Diese Wahrheit gilt es zunächst zu leben. Biblisch-theologische Arbeit bedeutet dann: Wiederfinden der Wahrheit des Lebens in der Bibel. Wer solche Wahrheit erfahren hat, kann als Theologe als Historiker *über* Gott reden; dieser Abstand ist arbeitstechnisch nötig. Aber dieses Reden ist auf Glauben aus, will wieder Rede *von* Gott werden. Diese Wahrheit ist geschichtlich vermittelt, durch Tradition zu uns gekommen. Zwar ist kein Zuwachs an Wahrheit (die wir erfahren) durch neutestamentliche Theologie zu erwarten, aber diese Wahrheit kann als christlich erwiesen werden, indem die Erfahrung herausgearbeitet wird, die andere mit der Wahrheit gemacht haben. Wenn nicht Zuwachs an Wahrheit, bedeutet dies doch Zuwachs an Erkenntnis im Umgang mit der Wahrheit – oder Verfehlen der Wahrheit. Biblische Theologie fragt dann: Gibt es Zuwachs an Wahrheit vom Alten zum Neuen Testament? War die Wahrheit, die wir als christlich erfahren, schon im Alten Testament vorhanden?

(Bibl.-theol. Studien 1), Neukirchen-Vluyn 1977, S. 25–60 und 75–95. Zur Diskussion der Position Stuhlmachers vgl. auch *Verf.:* Hauptprobleme der Biblischen Theologie, S. 146 ff.

3. KuD 22, 1976, S. 240–276.

Wenn Christologie-orientierte neutestamentliche Theologie (*nach* der Auferstehung) den Rückweg zum Alten Testament verbaut, ist nach der Wahrheit Jesu zurückzufragen. Die Wahrheit Jesu ist eine Form des Umgangs mit der alttestamentlichen Wahrheit (1. These). Die Christologie ist eine Form des Umgangs mit der Wahrheit Jesu (2. These). Jesus lebte seine Wahrheit als die Wahrheit Gottes; er glaubte dem alttestamentlichen Bekenntnis vom irdisch kommenden Reich Gottes. Sich auf Gottes Herrschaft im Sinne der Wahrheit Jesu einlassen, bedeutet gleiches bekennendes Handeln im Schalom (»Die Sache Jesu geht weiter«). Das impliziert, da Erfahrung der Wahrheit Jesu ein eschatologisches Heil einschließt, auch eine Christologie. Ähnliches gilt von der paulinischen Formulierung, μιμητὴς Χριστοῦ zu werden: Dies bedeutet nicht »Nachfolge«, sondern Hingabe, die an dem christologisch verstandenen Jesus orientiert ist. Es ist Glaube an den Gott Jesu, der in seiner Hingabe Heil geschaffen hat.

Der korrespondierende Vortrag von E. Otto: »Gott und Gotteserfahrung in alttestamentlicher Überlieferung: ein Schlüsselproblem Biblischer Theologie« ging, bei ganz anderer Terminologie, teilweise ähnliche Wege. Angesichts divergierender Ansprüche vielfältiger Theologien innerhalb der biblischen Überlieferung ist die Einheit Biblischer Theologie in der Frage nach Gott zu suchen; alle Überlieferungsträger deuten Gotteserfahrung wirklichkeitsvermittelt. Aufgabe Biblischer Theologie ist die Suche nach der Einheit in der Frage nach Gott. Zweite Aufgabe ist die Umsetzung in gegenwärtige Wahrheitssuche: Es geht um Normen für christliches Leben in der Gegenwart, begründet in konstitutiven Elementen des Gottesverständnisses durch wechselnde geschichtliche Erfahrungen hindurch. Gegenwärtige Rede von Gott ist in den Entdeckungszusammenhang in nachbiblischer Tradition zu stellen. Der Begründungszusammenhang für diese ist durch den Überlieferungszusammenhang von Altem und Neuem Testament aufzuzeigen. Vor diesem Hintergrund ist die gegenwärtige Wirklichkeitserfahrung aufzuarbeiten.

Nachdem der Referent die Rede von Gott als Ausdruck der Hoffnung auf Aufhebung der Entfremdung (im Sinne einer Selbst- und Weltfindung mit dem Ziel gelungenen Lebens) bezeichnet und das echte Gegenüber Gottes als Größe definiert hatte, an der der Mensch nach Aufhebung der Entfremdung im Aufbruch der Freiheit seine Identität gewinnt – während umgekehrt Gott im Prozeß der Weltkonstituierung zu sich selbst kommt –, behandelte er als alttestamentlich-exegetisches Beispiel die Auszugsüberlieferung als Spiegel wachsender biblischer Gotteserfahrung. Ex 14 in seinen die Macht Jahwes immer mehr steigenden sukzessiven Ausgestaltungen des Meerwunders; Jos 17,14–18 in der Landnahmezeit; Ps 114 in der Königszeit und weitere Stufen der Exodusüberlieferung bis in die Exilszeit (der neue Exodus bei Deuterojesaja) spiegeln die Bewältigung wechselnder geschichtlicher Erfahrungen, insbesondere von Ohnmacht und Schuld, im Lichte der im Auszugsgeschehen grundlegend erfahrenen Macht Jahwes und ermöglichen dadurch ihre Bewältigung und die Eröffnung eines Zukunfthorizontes in der Erkenntnis der Liebesmacht Gottes.

Für das gegenwärtige Verständnis von Wahrheit als Überwindung der Entfremdung läßt sich daraus die Erkenntnis gewinnen: Überwindung von Tod und Schuld ist nur im Gegenüber zu diesem Prozeß umgreifender Macht möglich.

Dabei geht es vor allem um zwei Aspekte: 1. In der im Exodus erlebten befreienden Gotteserfahrung wird die notvolle Wirklichkeit in ihrer Stabilisierung durchbrochen, Zukunft aufgebrochen. Der Weg der Ich-Werdung des Menschen geht durch die Bindung seiner Macht durch Liebe. 2. In der Überwindung der Schuld bleibt der Stachel: Sie verweist auf Gottes Selbstverwirklichung; Macht und Liebe sind verbunden in der endgültigen Durchsetzung der Gottesherrschaft. — Biblische Theologie ist exegetische Fundamentaltheologie.

Diesen beiden Vorträgen ist hier breiterer Raum eingeräumt worden, um einen Eindruck von der Arbeit in der Projektgruppe abseits der bekannten Entwürfe Biblischer Theologie zu geben. Noch auf der Zusammenkunft 1977 wurde beschlossen, nach Vortrag und Diskussion einer Reihe grundsätzlicher Positionen die Arbeit künftig stärker an der exegetischen Einzeluntersuchung von Texten aus dem Alten und Neuen Testament zu orientieren. Für die nächste Zusammenkunft wurden deshalb die beiden Texte Ps 22 (unter dem Gesichtspunkt »Welterfahrung in der Krise und Gotteserfahrung«) und Mk 1,14–15 (»Reich Gottes«) ausgewählt. Der Schwerpunkt sollte außerdem, nach jeweils in sie einführenden Referaten, auf gemeinsame Beschäftigung mit den Texten selbst gelegt werden.

Im März 1978 traf sich die Projektgruppe erneut in Bethel. Die Einführung zu Mk 1,14f. hatte G. Dautzenberg übernommen[4]. Fritz Stolz sprach über »Psalm 22: Alttestamentliches Reden vom Menschen und neutestamentliches Reden von Jesus«[5]. Nach diesen beiden Einführungsreferaten wurden mehrere Arbeitsgruppen gebildet, die unabhängig voneinander an der jeweils angeschnittenen Thematik weiterarbeiten sollten.

Dautzenberg war insbesondere der traditionsgeschichtlichen Herkunft der in Mk 1,14f. als εὐαγγέλιον bezeichneten Botschaft von der nahen βασιλεία und ihrem redaktionsgeschichtlichen Ort nachgegangen und hatte dabei – obwohl das heutige Logion nicht unmittelbar auf den irdischen Jesus zurückgeführt werden kann, sondern durch die urchristliche Mission und den Kontext geprägt ist – einen Ursprung der βασιλεία – Verkündigung bei Jesus für wahrscheinlich erschließbar gehalten. Außerdem hatte er die (bes. an Jes 52,7; 61,1f. anklingenden) alttestamentlichen Kategorien dieser Botschaft aufgewiesen, die Jesus schon im urchristlich-vormarkinischen Verständnis als den endzeitlichen prophetischen Verkündiger der βασιλεία charakterisiert. Diese Standortbestimmung würde die Gottesreichbotschaft als zentral für die Biblische Theologie ausweisen. Die Diskussion hatte sich dementsprechend besonders um das Problem bewegt, welche Rolle das deuterojesajanische Material für das Verständnis der βασιλεία – Botschaft Jesu

---

4. Inhaltlich finden sich die Ausführungen im wesentlichen in G. *Dautzenberg*: Die Zeit des Evangeliums. Mk 1,1–15 und die Konzeption des Markus-Evangeliums, BZ 21, 1977, S. 219–234; 22, 1978, S. 76–91.

5. ZThK 77, 1980, S. 129–148.

im Urchristentum gespielt hat; wieweit diese Botschaft selbst alttestamentliche Strukturen aufgenommen hat; wieweit Jesu radikale Endzeitverkündigung selbst solche alttestamentlichen Strukturen aufgenommen oder zerbrochen hat.

Der Vortrag von F. Stolz hatte eine gründliche, insbesondere die Gattungsfrage in Betracht ziehende Einzelauslegung von Ps 22 und (kürzer) seiner Aufnahme im Neuen Testament geboten. Hierzu hatte die Diskussion Fragen berührt wie die, ob Ps 22 in urchristlicher Zeit noch in lebendigem liturgischen Gebauch oder bereits als »Schrift« verwendet worden sei; wieweit apokalyptische Denkformen schon ein universalistisches Verständnis beeinflußt hätten – womit auch eine Verbindung zur möglichen apokalyptischen Prägung des βασιλεία-Begriffs gegeben war. Weiter ging es um die Bedeutung von Ps 22 für die Gestaltung der Szene in Mk 15, u. a.: Wird nur Ps 22,2 als Leidensaussage herangezogen, oder steht der Gesamtpsalm im Hintergrund?

Aus diesen Einzeldiskussionen in den Arbeitsgruppen entwickelten sich auch grundsätzliche Fragestellungen, wie die nach der Rolle von Begriffen, die man aus dem Neuen Testament in das Alte hinein zurückverfolgen kann, für eine Biblische Theologie, wieweit der Erfahrungshorizont hinter den Begriffen entscheidend sei (H. H. Schmid), wie man die Aufgabe der Biblischen Theologie negativ abgrenzen (es geht nicht um den bloßen Nachweis von Traditionsreihen) und positiv bestimmen kann (es geht um den Aufweis von Grundstrukturen). Als eine solche Struktur wurde der Gedanke der Königsherrschaft Jahwes angesprochen, der schon im Alten Testament eine wichtige Rolle spielt; zu reflektieren ist, in welcher Weise er von Jesus selbst, der Urgemeinde, von Markus (aber auch in Qumran, später in der Kirchengeschichte) verstanden worden ist.

Die nächste Zusammenkunft fand im März 1980 in Neuendettelsau statt. Gesamtthema war diesmal Abraham als eine die Testamente verbindende Gestalt. Drei Erlanger Kollegen hielten die Referate[6]:

J. Roloff sprach über: »Abraham im Neuen Testament«. Ein Grundgedanke dieser Ausführungen bestand darin, daß Paulus in seiner Beschäftigung mit der Abrahamsgestalt in Gal 3 und Röm 4 vor dem Hintergrund jüdischer, aber auch im Neuen Testament belegter Traditionen, in denen Abraham als Repräsentant Israels und Stammvater des Gottesvolkes in Anspruch genommen wird, vor dem durch den hermeneutischen Schlüssel der Christologie eröffneten eschatologischen Horizont Abraham als Vater der christlichen Gemeinde beansprucht. Die Typologie als hermeneutische Methode, deren sich Paulus dabei vorwiegend bedient, stellt das Gottesverhältnis Abrahams und das Gottesverhältnis der Christen einander gegenüber und ist dabei vor allem an der Identität des Handelns Gottes orientiert. Ausgerichtet ist diese Exegese auf das Zeugnis der Schrift. Da die exegetischen Einzelschritte des Paulus heute weithin nicht mehr nachvollziehbar sind, sei die Verifikation der paulinischen Aussagen aus dem Alten Testament durch die histo-

---

6. Sie blieben ungedruckt.

risch-kritische Methode kaum möglich, sondern nur von dem Glauben her, daß in Christus Gottes Heilshandeln zum Ziel gekommen ist.

In der anschließenden Diskussion ging es teils um die vorausgesetzte Hermeneutik (Anfragen: Ist die Rückfrage einer Biblischen Theologie vom Neuen zum Alten Testament zwar möglich, aber auch nötig? Haben wir zum Neuen Testament und seinem Christuszeugnis nicht die gleiche historische Distanz wie zum Alten? Handelt das Alte Testament überhaupt von Christus?), teils um die unterschiedliche Bewertung der Rolle Israels zwischen Röm 4 und Gal 3.

G. Wanke referierte über »Abraham im Alten Testament«. Von der Grundfrage ausgehend, ob die Bezugnahme auf Abraham bei Paulus Anhalt am Selbstverständnis der alttestamentlichen Texte habe, wurden die drei Pentateuchtexte Gen 12,1–4a. 6–9; Gen 15,1–6 und Gen 22,1–13 untersucht. Dabei ergibt sich: a) In Gen 12 will der Jahwist Grundeinsichten zur Orientierung Israels in seiner Zeit (festzuhalten ist an der Datierung im Großreich Davids) vermitteln: Entscheidend ist, daß Israel seine Existenz Jahwe verdankt und daß diese nur gesichert ist, wenn es sich ganz Jahwe anvertraut. b) In Gen 15,1–6 ist bereits der Gedanke der Volkwerdung in V. 5 nur lose angeschlossen und V. 6 eindeutig ein interpretierender Zusatz. Am gewichtigsten ist theologisch V. 6: Hier geht es um die Qualifizierung einer bestimmten Daseins- und Handlungsorientierung im Rahmen eines persönlichen Verhältnisses zum Wertenden: der Übereinstimmung mit Jahwes Willen als »Gerechtigkeit«. c) In Gen 22 (V. 3–5 müssen ausgelassen werden, und die Erzählung endet mit V. 13) geht es zentral nicht um eine kultätiologische Intention (die Ablösung des Menschenopfers – dies ist jedenfalls durch die Erprobungsgeschichte überlagert), sondern (entsprechend der zentralen Orientierung an der Nachkommensverheißung) um die Existenz Israels: Israel hat keinen Anspruch auf die Verheißung Gottes, Abraham handelt im Gehorsam; dieses Handeln im Glaubensgehorsam ist entscheidend gerade angesichts der Infragestellung der Verheißung.

So bearbeiten alle drei Texte die Frage nach der Daseins- und Handlungsorientierung. Die Gestalt Abrahams ist dabei repräsentativ für das ganze Gottesvolk, denn Gottes Handeln an Israel wird in kontingenten Ereignissen sichtbar. So ergibt sich, daß die Texte sich nicht grundsätzlich gegen die paulinische Interpretation sträuben, sondern für die Deutung aus Erfahrungen in weiteren Situationen offen sind. Die jeweiligen Antworten sind dabei (das ist für die Einheit der Biblischen Theologie wichtig) vom Erfahrungsbereich des jeweils deutenden Theologen abhängig (der auch von der Tradition, vom Bekenntnis der Kirche bestimmt ist).

In der anschließenden Diskussion geht es u. a. um die Frage, ob Abraham als Identitätsfigur auch für Nichtjuden gelten könne (Antwort u. a.: das Christusereignis wird immer auf diesem Hintergrund gedeutet). Dem Referenten erscheint es wichtig, daß es sich nicht nur um ein Orientierungsmodell handelt, sondern die Verheißung an die konkrete Person Abraham ergangen ist. Es handelt sich um einen konkreten Erzählungszusammenhang.

Die beiden exegetischen Vorträge wurden durch den Beitrag des Systematikers F. Mildenberger ergänzt: »Wo – wie – wann begegnet uns Abraham?«

Zu 1 geht der Vortragende von dem Eindruck aus, daß Abraham, wenn wir ihm in den biblischen Geschichten begegnen, uns heute vorwiegend nur noch als moralisches Exempel entgegentritt. Aus dieser Defiziterfahrung ergibt sich die hermeneutische Konsequenz, daß Bibel und Leben nicht getrennt erfaßt werden können. Zur Begegnung mit der Sache braucht es den lebendig machenden Geist. Dort begegnen wir Abraham, wo er zum Vater aller Glaubenden wird. Nur dort kann es auch zu einer Biblischen Theologie kommen, die das reflektiert. Ort einer möglichen Begegnung ist unsere Gegenwart, die durch die Schrift erschlossen wird.

Zu 2: Eine methodisch verständige Befragung, wie man Abraham begegnet, muß von den Zeugnissen der Vergangenheit ausgehen: Israel, Paulus sind Abraham begegnet. Beispiele für eine solche lebendige Begegnung lassen sich aber auch aus der Geschichte der Kirche nachweisen. An dem Beispiel von M. Chemnitz, Examen Concilii Tridentini (I,243), läßt sich zeigen, wie dieser den biblischen Abraham von Gen 15 und Hebr 11 als Zeugen für die ihm (gegen das Tridentinum) zentrale Aussage in Anspruch nimmt, daß der Glaube als rechtfertigender Glaube nicht in der fides, sondern in der promissio begründet ist. Er ist es nicht als Beschaffenheit in uns, sondern insofern er auf Christus blickt: Die Veränderung Abrahams ist nicht entscheidend, sondern sein Vertrauen auf Gottes Verheißung.

Zu 3: Die Frage nach dem Wann beantwortet sich grundsätzlich: »ubi et quando visum est Deo«. Die Frage, ob Chemnitz für seine streng forensisch-imputative Rechtfertigungsauffassung sich zu Recht auf Abraham und Paulus berufen hat, ist von historisch-kritischem Blickpunkt her vielleicht zu verneinen. Im Sinne einer existentiellen Bedeutsamkeit vor dem Hintergrund seiner Zeit kann jedoch behauptet werden, daß auch Chemnitz die Schrift durchaus »richtig« verstanden hat. Auf die Anwendung und damit das Geistesgeschehen ist alles Gewicht zu legen.

In der Diskussion wird u. a. gefragt, ob auf die Abrahams-Gestalt nicht verzichtet werden könne. Der Vortragende hält dies für ausgeschlossen, da es ein Spezifikum des Rückgriffs auf Abraham sei, daß er dort geschieht, wo Glaube durch Werke verfälscht wird. Weiter wird diskutiert, ob Chemnitz sich zu Recht auf Abraham berufen habe. Als Kriterien, die hier ein Urteil ermöglichen könnten, werden u. a. Schriftbezug und Gegenwartsbezug genannt. Weitere Fragen richten sich darauf, ob im Nachdenken über Abraham auch ein Gespräch mit dem Judentum möglich sei. Vorbehalte werden dagegen geäußert, dies ohne weiteres vom Römerbrief aus zu tun, da die Situation des Paulus in ihrer Art geschichtlich einmalig war. Auch das Verständnis des heutigen Judentums von Thora müsse mitbedacht werden. In diesem Gespräch kündigte sich ungewollt schon etwas von der Thematik an, die für die Zusammenkünfte ab 1982 bestimmt sein sollte.

Entsprechend dem 1980 beschlossenen Programm, die Rahmenbedingungen Biblischer Theologie durch die Applikation biblischer Texte im Zusammenhang einer von einem konkreten Gegenwartsproblem bestimmten Fragestellung zu erproben, wurde die aktuelle Problematik der Ökologie zum Gegenstand der Zusammenkunft im März 1981 in Stuttgart. H.-D. Preuß referierte über »Biblisch-theologische Erwägungen eines Alttestamentlers zum Problemkreis Ökologie«, H. Hegermann über

»Biblisch-theologische Erwägungen eines Neutestamentlers zum Problemkreis Ökologie«[7]. Als Leitprobleme für ihre Überlegungen waren den Referenten die Fragen gestellt worden: »1. Empfinden Sie die Ökologie, wie viele andere, als drängendes Gegenwartsproblem? 2. Muß man sich Ihrer Ansicht nach, wenn man sich als Christ damit beschäftigt, zurück an die Bibel wenden, und wenn ja, warum? 3. Muß sich eine Rückfrage dieser Art auf die gesamte Bibel erstrecken, und wie läßt sich das begründen?«

Zentral in den Ausführungen von Preuß war der Gedanke, daß eine Schöpfungstheologie schon im Alten Testament nicht ohne Soteriologie gedacht werden kann. Da die Sonderstellung des Menschen in der Welt vor allem auch sein Sündersein bedeutet – er ist der »Störenfried« in der Welt –, gibt es keine heile Welt. Ein neues Verhältnis zur Welt kann nicht allein durch Vernunftgründe erreicht werden; es kommt auf den neuen Menschen an. Hierfür erwächst das Zeugnis der Gemeinde aus dem Umgang mit Christus. Aus der Bibel sind keine direkten Handlungsanweisungen zu gewinnen, aber man lernt etwas über das Miteinander von Glauben und Denken, von Umkehr und Vernunft. Aus der Schöpfung selbst ist der Wille Gottes kaum erkennbar. Wenn man von »Schöpfung« spricht, ist dies jedoch bereits eine Glaubensaussage.

In der Diskussion wurden folgende Themen berührt: 1. das Thema »Land« als mögliches Mittelglied zwischen Schöpfungs- und Bundestheologie; 2. die neutestamentliche Aussage (Röm 1–2; Phil 4,8; 1 Kor 1), daß der Wille Gottes aus der Schöpfung bereits erkennbar sei; 3. Schöpfung als eschatologischer Begriff (Deutero- und Tritojesaja); 4. die Bedeutung der alttestamentlichen Verheißungen für das im Heilswerk Christi nach dem Zeugnis des Neuen Testaments begegnende Neue. Das Neue wird im Neuen Testament in Strukturanalogie zum Alten Testament verstanden; vor dem Hintergrund des Noch-nicht ist das Schon-jetzt bereits da.

Aus dem Vortrag von Hegermann seien als wichtige Thesen herausgegriffen: 1. Die Urkirche hat gegen alle Heilsrelevanz des menschlichen Wollens und Laufens im Streben nach eigener Gerechtigkeit das Leben allein aus dem Gabegeschehen gesucht, das allen angeboten ist in der Selbstoffenbarung Gottes in Christus. 2. In dem in Jesus und Ostern eingetretenen Neueinsatz der Glaubensgeschichte Israels wird bei der kritischen Integration der heiligen Überlieferung Israels alttestamentlicher Schöpfungsglaube erneuert. 3. Gegenüber der Verehrung des Kosmos als Mittlers göttlicher Lebensmacht hat die Urkirche sich zu Jesus Christus als dem präexistenten Offenbarungsmittler in Schöpfung und Geschichte bekannt. 5. Paulus sieht die Lebenswelt des Menschen aktuell heilvoll angeeignet durch Danksagung und Lobpreis des Christusgläubigen und die Hingabe des Daseins zum Dienst für Gott.

In der Diskussion wurde die Anfrage C. F. von Weizsäckers gegen eine anthropologische Engführung heutiger Theologie ernst genommen. Mit, nicht gegen die Ke-

---

7. Die Beiträge erschienen in: ThZ 39, 1983, S. 68–101 u. 102–118.

rygma-Theologie müsse das Verhältnis zur Welt stärker bedacht werden. Im Neuen Testament findet sich kein Dualismus (vgl. die Aussagen über Menschwerdung und Verwandlung der Welt).

Eine weitere ausgedehnte Diskussion beschäftigt sich mit der Frage der Verbindlichkeit Biblischer Theologie. Dabei geht es u. a. um die von manchen behauptete unmittelbare kerygmatische Verbindlichkeit neutestamentlicher Aussagen – die die historisch-kritische Forschung herausstellt – etwa im Unterschied zu alttestamentlichen? Die Meinung ist, daß das Urchristentum bei aller Zeitgebundenheit von Detailaussagen Grundentscheidungen erarbeitet hat, an denen sich die Identität des Christentums festmacht, woraus Verbindlichkeit in Solidarität mit den neutestamentlichen Zeugen im Heiligen Geist entsteht. Andererseits: Wie steht es mit gemeinsamen Grundstrukturen zwischen beiden Testamenten? Hierzu wird gesagt, daß im Alten Testament manches noch offen ist – Grundentscheidungen sind schon getroffen, aber manches Zentrale wird erst von der Erfüllung her aufgeschlossen. Grundsätzlich stimmt die Gruppe überein, daß auch der Neutestamentler Biblische Theologie im Blick auf das Alte Testament treiben muß. Beide Testamente sind in der gemeinsamen Zeugenschaft zusammengeschlossen. Paulus greift auf das Alte Testament zurück, weil er sich in der Kontinuität der Gottesgeschichte weiß. Die Kontinuität beruht (nur!) auf der Treue Gottes. Während im Judentum eine ungebrochene Tradition der Geschichte geglaubt wird, hält Paulus in Röm 9–11 die Erwählungsgeschichte durch. Man kann von einem Ineinander von Kontinuität und Diskontinuität sprechen. – Zum Verhältnis von Traditionsgeschichte und Theologie wird festgestellt: Traditionsgeschichte bedeutet noch keine Theologie. Die in der Tradition bezeugte Wirklichkeitserfahrung muß bezogen werden auf die eigene Glaubenserfahrung. Daraus erwächst Theologie, die im Gespräch mit der Tradition steht[8].

---

8. In Aufnahme eines an sie herangetragenen Wunsches beschloß die Projektgruppe, von 1982 an mehrere Sitzungen dem derzeit besonders aktuellen Problem des Verhältnisses zwischen Israel und Kirche zu widmen (so in Bethel 1982 mit Beiträgen von H. Seebaß, G. Mayer und H. Hübner; in Stuttgart 1983 mit Beiträgen von H. Seebaß und E. Brandenburger).

Personenregister

Aland, B. und K.   13
Arens, E.   57
Asurmendi, J. M.   29
Aufderbeck, H.   55

Barbaglio, C.   59
Barr, J.   82
Barreto, J.   59
Barrett, C. K.   70
Barth, K.   30
Bartsch, H.-W.   14
Bauer, G. L.   90
Bauer, W.   14, 36
Baur, F. C.   36
Beardslee, W.   38
Beilner, W.   21, 60
Belo, F.   17, 29
Ben-Chorin, Sch.   16
Bengel, J. A.   13
Betz, H. D.   78
Blank, J.   54, 60, 70, 71
Boismard, M. E.   31, 56, 58
Bonnard, P.   30, 31
Bornkamm, G.   60, 69, 88
Bovon, F.   28–33, 29, 30, 31
Brandenburger, E.   102
Braulik, G.   21
Braun, F.-M.   31
Braun, H.   47
Brown, R. E.   55, 61, 70
Brox, N.   61
Bultmann, R.   13, 16, 36, 47, 48, 49, 52, 76,
   77, 83, 87, 91
Butler, J.   34

Campenhausen, H. v.   17
Carnap, R.   32
Chabrol, C.   57
Chemnitz, M.   100
Chmiel, J.   58
Cipriani, S.   58

Clevenot, M.   17, 29
Clements, R. E.   80
Conzelmann, H.   77
Cornelis, E.   30
Crossan, J. D.   57
Cullmann, O.   30, 31, 71

Daly, R. J.   68
Dautzenberg, G.   97
Deißmann, A.   15
Delling, G.   77
Delorme, J.   31, 57, 58
Delumeau, J.   30
Diez Macho, A.   59
Dinkler, E.   69
Dornier, P.   61
Dungan, D. L.   15
Dupont, J.   31

Ebeling, G.   16
Egger, W.   57
Eichrodt, W.   80
Eliot, G.   35
Ernst, J.   55, 60, 61

Farmer, W. R.   15
Feine, P.   22
Feiner, J.   60
Feneberg, R. und W.   59
Feuerbach, L.   35
Feuillet, A.   31
Fiedler, P.   55, 62, 63, 64, 65, 67, 68
Fischer, K. M.   77
Fitzer, G.   22, 25
Fitzmyer, J.   55, 60, 61, 78
Flusser, D.   16
Frankemölle, H.   57
Fuchs, A.   21
Fuchs, E.   16
Fuchs, O.   57
Füglister, N.   21

Gabler, J. P. 79
Gaboury, A. 56
Gadamer, H.-G. 16
Galvin, J. P. 67
Garcia, S. 56
Geffre, C. 30
Genest, O. 28
George, A. 31, 56
Gese, H. 77, 78, 79, 81, 83, 88, 94
Giesen, H. 68
Girard, R. 30
Gnilka, J. 16, 56, 57, 60, 61, 62
Goppelt, L. 77, 84
Gräßer, E. 70
Greeven, H. 14
Greimas, J. 32
Grelot, P. 31, 56
Grundmann, W. 78
Gubler, M.-L. 62
Gueret, A. 32
Güttgemanns, E. 95
Gunneweg, A. H. J. 90

Haacker, K. 70, 77, 79, 88, 91, 94
Haenchen, E. 88
Hahn, F. 52, 59, 68, 69, 70, 80, 91
Hainz, J. 68
Haufe, G. 41–50
Haulotte, E. 30
Hegermann, H. 100, 101
Hengel, M. 62, 78
Herich, J. 55
Hoffmann, P. 62
Hoffmann, R. A. 22
Holtz, T. 60, 84
Hooker, M. D. 70
Hübner, H. 16, 95, 102
Humboldt, W. v. 10

Iersel, B. van 57
Iglesias, S. M. 55, 59
Irenäus 10

Jaubert, A. 31
Jepsen, A. 82, 83
Jeremias, Jörg 89
Jeremias, Joachim 76

Joest, W. 42, 44
Jüngel, E. 47

Kähler, M. 36
Käsemann, E. 16, 18, 47, 58, 69, 89, 91
Kaspar, W. 54, 60
Kertelge, K. 59, 62, 64, 69
Kierkegaard, S. 10
Kittel, G. 22
Klein, G. 69
Klein, H. 76–93
Kliesch, K. 57
Knopf, R. 22
Koch, K. 17, 87
Köster, H. 77, 78
Kraus, H.-J. 77, 85, 86, 91
Kremer, J. 21
Kümmel, W. G. 56, 59, 60, 62, 63, 68, 77, 78, 82, 83, 89
Küng, H. 60
Kuß, O. 61, 69
Kutsch, E. 80

Lambiasi, F. 59
Lamouille, A. 58
Langkammer, H. 60
Latourelle, R. 59
Leenhardt, F. J. 31
Leipoldt, J. 78
Lentzen-Deis, F. 56
Lenzmann, J. 41
Léon-Dufour, X. 30, 56
Leroy, H. 60
Levinas, E. 30
Lévy-Strauss, C. 32
Lietzmann, H. 11
Lohfink, G. 55
Lohse, E. 5, 56, 77, 84
Lorenzi, L. de 31
Luck, U. 86
Lüdemann, G. 16
Luther, M. 18, 19, 85
Luz, U. 16, 31, 69
Lyonnet, S. 31

Marcheselli, C. C. 58
Marguerat, D. 31

Markion 17
Marshall, I. H. 68
Marxsen, W. 91, 95
Mateoy, J. 59
Maurer, Chr. 22
Mauser, U. 83, 85
Mayer, G. 102
Merk, O. 8, 47, 52, 76, 77, 79, 80, 83, 90
Merklein, H. 63
Mildenberger, F. 99
Minguez, D. 57
Morgan, R. 34–40
Morris, C. 32
Müller, P. G. 70
Mußner, F. 57, 61, 70, 72

Nardoni, E. 59
Neirynck, F. 56, 58, 61
Nellessen, E. 62
Niederwimmer, K. 17, 20–27

Oberlinner, L. 55, 65, 68
Osten-Sacken, P. von der 69
Otto, E. 96

Pals, D. L. 34
Patsch, H. 62, 64
Pedersen, S. 69
Penna, A. 71
Perlitt, L. 81
Perrot, C. 60
Pesch, R. 16, 55, 61, 63, 64, 66, 67, 68, 71, 72
Pfammatter, J. 60
Pokorný, P. 79, 84
Polag, A. 56
Potterie, I. de la 31
Preuß, H.-D. 100
Prigent, P. 30

Rad, G. v. 76, 85, 87
Räisänen, H. 69
Ramon Tragan, P. 59
Reicke, B. 22
Rendtorff, R. 70
Rendtorff, T. 8
Reventlow, H. Graf 94–102, 94

Ricœr, P. 30, 39, 47
Riva, R. 57
Robbe, M. 41
Robbins, K. 57
Robinson, J. M. 16, 47, 48
Roloff, J. 77, 98
Romaniuk, K. 58
Rouiller, G. 30
Ruckstuhl, E. 62, 63, 68

Sales, M. 57
Sauer, J. 62
Schelkle, K. H. 60, 61, 83
Schenke, H. M. 77
Schierse, F. J. 60
Schillebeeckx, E. 60
Schlatter, A. 78
Schlier, H. 61, 69
Schlosser, J. 58
Schmid, H. H. 88, 94, 98
Schmidt, J. 56
Schmithals, W. 16
Schmitt, J. 59
Schnackenburg, R. 54, 57, 60, 61
Schneider, G. 55, 61
Schürmann, H. 54, 55, 61, 62, 63, 64, 65, 66, 67, 68, 71, 72, 73, 83
Schniewind, J. 83
Schweizer, E. 31
Seebaß, H. 102
Sloyan, G. S. 70
Smend, R. 69, 76, 81, 85
Spicq, C. 61
Stählin, G. 22
Stegemann, E. 70
Steiner, A. 29
Stenger, W. 70
Stoldt, H.-H. 15
Stolz, F. 97, 98
Strauß, D. F. 35, 36
Strecker, G. 10–19, 15, 69, 83, 88, 92
Stuhlmacher, P. 45, 46, 47, 57, 62, 77, 83, 84, 88, 89, 94, 95

Theißen, G. 44, 49, 78
Thiselton, A. 39
Thüsing, W. 60

Thyen, H. 70
Tischendorf, C. v. 13
Trilling, W. 61
Troeltsch, E. 42
Trummer, P. 59

Vargas-Machuca, A. 59
Viard, A. W. 61
Vielhauer, Ph. 76
Vischer, W. 90
Vögtle, A. 52–74, 62

Wagner, S. 76, 78, 80
Wächter, L. 81, 85
Wanke, G. 99
Wanke, J. 68
Weiser, A. 61

Weiss, J. 36
Weizsäcker, C. F. v. 101
Westermann, C. 76, 81, 82, 87, 89
Weymann, V. 29
Wikenhauser, A. 56
Wilckens, U. 55, 69, 89
Wilder, A. N. 38
Wilson, S. G. 70
Wittgenstein, L. 39
Wrede, W. 36

Zeller, D. 55, 58, 69, 70
Zimmerli, W. 76, 77, 81, 82, 83, 84, 85, 86
Zimmermann, H. 57, 62, 63, 68
Zmijewski, J. 62
Zumstein, J. 31

Die Autoren

François Bovon, Professor für Neues Testament an der Universität Genf.

Günter Haufe, Professor für Neues Testament an der Ernst-Moritz-Arndt-Universität Greifswald.

Hans Klein, Professor für Biblische Theologie in Sibiu/Hermannstadt.

Otto Merk, Professor für Neutestamentliche Wissenschaft an der Friedrich-Alexander-Universität Erlangen–Nürnberg.

Robert Morgan, Dozent für Neues Testament an der Universität Oxford.

Kurt Niederwimmer, Professor der Neutestamentlichen Wissenschaft an der Universität Wien.

Henning Graf Reventlow, Professor für Exegese und Theologie des Alten Testaments an der Ruhr-Universität Bochum.

Georg Strecker, Professor für Neues Testament an der Georg-August-Universität Göttingen.

Anton Vögtle, Professor em. für Neutestamentliche Literatur an der Albert-Ludwigs-Universität Freiburg/Br.

Das Neue Testament

DAS NEUE TESTAMENT

ÜBERSETZT UND
KOMMENTIERT VON
ULRICH WILCKENS

Das Neue Testament

Übersetzt und kommentiert von Ulrich Wilckens.
Beraten von Werner Jetter, Ernst Lange und Rudolf Pesch.
6. neu bearbeitete Auflage. 928 Seiten. Geb.

„Es ist schwer zu sagen, was an diesem Buch mehr zu begrüßen ist: die gelungene Übersetzung oder der konzentrierte Kommentar. Wie kaum ein anderes, so wird dieses Buch in der Lage sein, ein sachgenäßes Verständnis der neutestamentlichen Texte bei seinen Lesern zu ermöglichen."
(Deutschlandfunk, Köln)

„Es wäre viel gewonnen, wenn jungen und älteren Christen das, was sie über ihr Evangelium wissen müßten, in Zukunft an Hand dieses sachlichen, klugen, Tatsachen nicht Theorien (oder Theorien nur mit dem Hinweis, daß es sich um solche handelt) vermittelnden Führers nahegebracht würde."
Süddeutsche Zeitung, München

Gütersloher Verlagshaus Gerd Mohn

Studien zum Neuen Testament

Herausgegeben von Günter Klein, Willi Marxsen und Wolfgang Schrage

Band 1:
Martin Rese
Alttestamentliche Motive in der Christologie des Lukas
1969. 227 Seiten. Ln.

Band 3:
Johannes Lähnemann
Der Kolosserbrief
Komposition, Situation und Argumentation. 1971. 196 Seiten. Ln.

Band 5:
Klaus-Peter Jörns
Das hymnische Evangelium
Untersuchungen zu Aufbau, Funktion und Herkunft der hymnischen Stücke in der Johannesoffenbarung. 1971. 206 Seiten. Ln.

Band 8:
Gerd Theißen
Urchristliche Wundergeschichten
Ein Beitrag zur formgeschichtlichen Erforschung der synoptischen Evangelien. 1974. 319 Seiten. Kt.

Band 9:
Walter Schmithals
Der Römerbrief als historisches Problem
1975. 228 Seiten. Kt.

Band 10:
Ulrich B. Müller
Prophetie und Predigt im Neuen Testament
Formgeschichtliche Untersuchungen zur urchristlichen Prophetie. 1975. 256 Seiten. Kt.

Band 12:
Andreas Lindemann
Die Aufhebung der Zeit
Geschichtsverständnis und Eschatologie im Epheserbrief. 1975. 288 Seiten. Kt.

Band 13:
Oda Wischmeyer
Der höchste Weg
Das 13. Kapitel des 1. Korintherbriefes. 1981. 256 Seiten. Kt.

Band 14:
Jens W. Taeger
Der Mensch und sein Heil
Studien zum Bild des Menschen und zur Sicht der Bekehrung bei Lukas. 1982. 244 Seiten. Kt.

Gütersloher Verlagshaus Gerd Mohn

Ökumenischer Taschenbuchkommentar zum Neuen Testament

Herausgegeben von Erich Gräßer und Karl Kertelge.

Band 2/1:
Walter Schmithals
Evangelium nach Markus Kapitel 1–9,1
1979. 397 Seiten. Kt. (GTB 503)

Band 2/2:
Walter Schmithals
Evangelium nach Markus Kapitel 9,2–16
1979. 370 Seiten. Kt. (GTB 504)

Band 3/1:
Gerhard Schneider
Das Evangelium nach Lukas
1977. 253 Seiten. Kt. (GTB 500)

Band 3/2:
Gerhard Schneider
Das Evangelium nach Lukas Kapitel 11–24
1977. 256 Seiten. Kt. (GTB 501)

Band 4/1:
Jürgen Becker
Das Evangelium nach Johannes Kapitel 1–10
1979. 340 Seiten. Kt. (GTB 505)

Band 4/2:
Jürgen Becker
Das Evangelium nach Johannes Kapitel 11–21
1981. 320 Seiten. Kt. (GTB 506)

Band 5/1:
Alfons Weiser
Die Apostelgeschichte Kapitel 1–12
1981. 293 Seiten. Kt. (GTB 507)

Band 10:
Franz Mußner
Der Brief an die Epheser
1982. 182 Seiten. Kt. (GTB 509)

Band 16:
Klaus Wengst
Der erste, zweite und dritte Brief des Johannes
1978. 261 Seiten. Kt. (GTB 502)

Gütersloher Verlagshaus Gerd Mohn

GTB Siebenstern

Herbert Braun
Jesus
Der Mann aus Nazareth und seine Zeit. 4. Auflage. 128 Seiten. Kt. (GTB 70)

Rudolf Bultmann
Jesus Christus und die Mythologie
Das Neue Testament im Licht der Bibelkritik. 5. Auflage. 111 Seiten. Kt. (GTB 47)

Joachim Jeremias
Die Gleichnisse Jesu
Kurzausgabe. 8. Auflage. 156 Seiten. Kt. (GTB 43)

Joachim Jeremias
Unbekannte Jesusworte
2. Auflage. 120 Seiten. Kt. (GTB 376)

Pinchas Lapide
Er predigte in ihren Synagogen
Jüdische Evangelienauslegung. 3. Auflage. 100 Seiten. Kt. Originalausgabe. (GTB 1400)

Eduard Lohse
Die Geschichte des Leidens und Sterbens Jesu Christi
100 Seiten. Kt. (GTB 316)

Das Neue Testament
Taschenbuchausgabe ohne Kommentar. Übersetzt von Ulrich Wilckens, beraten von Werner Jetter, Ernst Lange und Rudolf Pesch. 2. Auflage. 572 Seiten. Kt. (GTB 199)

Ralf Luther
Neutestamentliches Wörterbuch
Eine Einführung in Sprache und Sinn der urchristlichen Schriften

GTBSiebenstern

Ralf Luther
Neutestamentliches Wörterbuch
Eine Einführung in Sprache und Sinn der urchristlichen Schriften. 4. Auflage. 268 Seiten. Kt. (GTB 27)

Eduard Schweizer
Jesus Christus im vielfältigen Zeugnis des Neuen Testaments
5. Auflage. 192 Seiten. Kt. (GTB 126)

Ulrich Wilckens
Auferstehung
Das biblische Auferstehungszeugnis historisch untersucht und erklärt. 3. Auflage. 128 Seiten. Kt. (GTB 80)

Gütersloher Verlagshaus Gerd Mohn